FOLIO PLUS

Jules Supervielle

L'enfant de la haute mer

Gallimard

*L'enfant
de la haute mer*

Comment s'était formée cette rue flottante? Quels marins, avec l'aide de quels architectes, l'avaient construite dans le haut Atlantique à la surface de la mer, au-dessus d'un gouffre de six mille mètres? Cette longue rue aux maisons de briques rouges si décolorées qu'elles prenaient une teinte gris-de-France, ces toits d'ardoise, de tuile, ces humbles boutiques immuables? Et ce clocher très ajouré? Et ceci qui ne contenait que de l'eau marine et voulait sans doute être un jardin clos de murs, garnis de tessons de bouteilles, par-dessus lesquels sautait parfois un poisson?

Comment cela tenait-il debout sans même être ballotté par les vagues?

Et cette enfant de douze ans si seule qui passait en sabots d'un pas sûr dans la rue liquide, comme si elle marchait sur la terre ferme? Comment se faisait-il...?

Nous dirons les choses au fur et à mesure que nous les verrons et que nous saurons. Et ce qui doit rester obscur le sera malgré nous.

A l'approche d'un navire, avant même qu'il fût perceptible à l'horizon, l'enfant était prise d'un grand sommeil, et le village disparaissait, complètement sous les flots. Et c'est ainsi que nul marin, même au bout d'une longue-vue, n'avait jamais aperçu le village ni même soupçonné son existence.

L'enfant se croyait la seule petite fille au monde. Savait-elle seulement qu'elle était une petite fille ?

Elle n'était pas très jolie à cause de ses dents un peu écartées, de son nez un peu trop retroussé, mais elle avait la peau très blanche avec quelques taches de douceur, je veux dire de rousseur. Et sa petite personne commandée par des yeux gris, modestes mais très lumineux, vous faisait passer dans le corps, jusqu'à l'âme, une grande surprise qui arrivait du fond des temps.

Dans la rue, la seule de cette petite ville, l'enfant regardait parfois à droite et à gauche comme si elle eût attendu de quelqu'un un léger salut de la main ou de la tête, un signe amical. Simple impression qu'elle donnait, sans le savoir, puisque rien ne pouvait venir, ni personne, dans ce village perdu et toujours prêt à s'évanouir.

De quoi vivait-elle ? De la pêche ? Nous ne le pensons pas. Elle trouvait des aliments dans l'armoire et le garde-manger de la cuisine, et même de la viande tous les deux ou trois jours. Il y avait aussi pour elle des pommes de terre, quelques autres légumes, des œufs de temps en temps.

Les provisions naissaient spontanément dans les armoires. Et quand l'enfant prenait de la confiture dans un pot, il n'en demeurait pas moins inentamé, comme si les choses avaient été ainsi un jour et qu'elles dussent en rester là éternellement.

Le matin, une demi-livre de pain frais, enveloppé dans du papier, attendait l'enfant sur le comptoir de marbre de la boulangerie, derrière lequel elle n'avait jamais vu personne, même pas une main, ni un doigt, poussant le pain vers elle.

Elle était debout de bonne heure, levait le rideau de métal des boutiques (ici on lisait : Estaminet[1]* et là : Forgeron ou Boulangerie Moderne, Mercerie), ouvrait les volets de toutes les maisons, les accrochait avec soin à cause du vent marin et, suivant le temps, laissait ou non les fenêtres fermées. Dans quelques cuisines elle allumait du feu afin que la fumée s'élevât de trois ou quatre toits.

Une heure avant le coucher du soleil elle commençait à fermer les volets avec simplicité. Et elle abaissait les rideaux de tôle ondulée.

L'enfant s'acquittait de ces tâches, mue par quelque instinct, par une inspiration quotidienne qui la forçait à veiller à tout. Dans la belle saison, elle laissait un tapis à une fenêtre ou du linge à sécher, comme s'il fallait à tout prix que le village eût l'air habité, et le plus ressemblant possible.

Et toute l'année, elle devait prendre soin du drapeau de la mairie, si exposé.

La nuit, elle s'éclairait de bougies, ou cousait à la lumière de la lampe. On trouvait aussi l'électricité dans plusieurs maisons de la ville, et l'enfant tournait les commutateurs avec grâce et naturel.

Une fois elle fit, au heurtoir d'une porte, un nœud de crêpe noir. Elle trouvait que cela faisait bien.

Et cela resta là deux jours, puis elle le cacha.

Une autre fois, la voilà qui se met à battre du tambour, le tambour du village, comme pour annoncer quelque nouvelle. Et elle avait une violente envie de crier quelque chose qu'on eût entendu d'un bout à

---

* Les notes appelées par chiffres ont été établies par Maria-Nina Barbier et sont regroupées p. 111.

l'autre de la mer, mais sa gorge se serrait, nul son n'en sortait. Elle fit un effort si tragique que son visage et son cou en devinrent presque noirs, comme ceux des noyés. Puis il fallut ranger le tambour à sa place habituelle, dans le coin gauche, au fond de la grande salle de la mairie.

L'enfant accédait au clocher par un escalier en colimaçon aux marches usées par des milliers de pieds jamais vus. Le clocher qui devait bien avoir cinq cents marches, pensait l'enfant (il en avait quatre-vingt-douze), laissait voir le ciel le plus qu'il pouvait entre ses briques jaunes. Et il fallait contenter l'horloge à poids en la remontant à la manivelle pour qu'elle sonnât vraiment les heures, jour et nuit.

La crypte, les autels, les saints de pierre donnant des ordres tacites, toutes ces chaises à peine chuchotantes qui attendaient, bien alignées, des êtres de tous les âges, ces autels dont l'or avait vieilli et désirait vieillir encore, tout cela attirait et éloignait l'enfant qui n'entrait jamais dans la haute maison, se contentant d'entrouvrir parfois la porte capitonnée, aux heures de désœuvrement, pour jeter un regard rapide à l'intérieur, en retenant son souffle.

Dans une malle de sa chambre se trouvaient des papiers de famille, quelques cartes postales de Dakar, Rio de Janeiro, Hong-Kong, signées : Charles ou C. Liévens, et adressées à Steenvoorde (Nord). L'enfant de la haute mer ignorait ce qu'étaient ces pays lointains et ce Charles et ce Steenvoorde.

Elle conservait aussi, dans une armoire, un album de photographies. L'une d'elles représentait une enfant qui ressemblait beaucoup à la fillette de l'Océan, et souvent celle-ci la contemplait avec humilité : c'était toujours l'image qui lui paraissait avoir raison, être dans le vrai ; elle tenait un cerceau à la main. L'enfant en avait cherché un pareil dans toutes les maisons du village. Et un jour elle pensa avoir trouvé : c'était un cercle de fer d'un tonneau, mais à peine eut-elle essayé de courir avec lui dans la rue marine que le cerceau gagna le large.

Dans une autre photographie, la petite fille se montrait entre un homme revêtu d'un costume de matelot et une femme osseuse et endimanchée. L'enfant de la haute mer, qui n'avait jamais vu d'homme ni de femme, s'était longtemps demandé ce que voulaient ces gens, et même au plus fort de la nuit, quand la lucidité vous arrive parfois tout d'un coup, avec la violence de la foudre.

Tous les matins elle allait à l'école communale avec un grand cartable enfermant des cahiers, une grammaire, une arithmétique, une histoire de France, une géographie.

Elle avait aussi de Gaston Bonnier, membre de l'Institut, professeur à la Sorbonne, et Georges de Layens, lauréat de l'Académie des Sciences, une petite flore contenant les plantes les plus communes, ainsi que les plantes utiles et nuisibles avec huit cent quatre-vingt-dix-huit figures.

Elle lisait la préface :

« Pendant toute la belle saison, rien n'est plus aisé que de se procurer, en grande quantité, les plantes des champs et des bois. »

Et l'histoire, la géographie, les pays, les grands hommes, les montagnes, les fleuves et les frontières, comment s'expliquer tout cela pour qui n'a que la rue vide d'une petite ville, au plus solitaire de l'Océan. Mais l'Océan même, celui qu'elle voyait sur les cartes, elle ne savait pas se trouver dessus, bien qu'elle l'eût pensé un jour, une seconde. Mais elle avait chassé l'idée comme folle et dangereuse.

Par moments, elle écoutait avec une soumission absolue, écrivait quelques mots, écoutait encore, se remettait à écrire, comme sous la dictée d'une invisible maîtresse. Puis l'enfant ouvrait une grammaire et restait longuement penchée, retenant son souffle, sur la page 60 et l'exercice CLXVIII, qu'elle affectionnait. La grammaire semblait y prendre la parole pour s'adresser directement à la fillette de la haute mer :

— Êtes-vous? — pensez-vous? — parlez-vous? — voulez-vous? — faut-il s'adresser? — se passe-t-il? — accuse-t-on? — êtes-vous capable? — êtes-vous coupable? — est-il question? — tenez-vous ce cadeau? eh! — vous plaignez-vous?
(Remplacez les tirets par le pronom interrogatif convenable, avec ou sans préposition.)

Parfois l'enfant éprouvait un désir très insistant d'écrire certaines phrases. Et elle le faisait avec une grande application.
En voici quelques-unes, entre beaucoup d'autres :
— Partageons ceci, voulez-vous?
— Écoutez-moi bien. Asseyez-vous, ne bougez pas, je vous en supplie!
— Si j'avais seulement un peu de neige des hautes montagnes la journée passerait plus vite.
— Écume, écume autour de moi, ne finiras-tu pas par devenir quelque chose de dur?
— Pour faire une ronde il faut au moins être trois.
— C'étaient deux ombres sans tête qui s'en allaient sur la route poussiéreuse.
— La nuit, le jour, le jour, la nuit, les nuages et les poissons volants.

— J'ai cru entendre un bruit, mais c'était le bruit de la mer.

Ou bien elle écrivait une lettre où elle donnait des nouvelles de sa petite ville et d'elle-même. Cela ne s'adressait à personne et elle n'embrassait personne en la terminant et sur l'enveloppe il n'y avait pas de nom.

Et la lettre finie, elle la jetait à la mer — non pour s'en débarrasser, mais parce que cela devait être ainsi — et peut-être à la façon des navigateurs en perdition qui livrent aux flots leur dernier message dans une bouteille désespérée.

Le temps ne passait pas sur la ville flottante : l'enfant avait toujours douze ans. Et c'est en vain qu'elle bombait son petit torse devant l'armoire à glace de sa chambre. Un jour, lasse de ressembler avec ses nattes et son front très dégagé à la photo-graphie qu'elle gardait dans son album, elle s'irrita contre elle-même et son portrait, et répandit violem-ment ses cheveux sur ses épaules espérant que son âge en serait bouleversé. Peut-être même la mer, tout autour, en subirait-elle quelque changement et verrait-elle en sortir de grandes chèvres à la barbe écumante qui s'approcheraient pour voir.

Mais l'Océan demeurait vide et elle ne recevait d'autres visites que celles des étoiles filantes.

Un autre jour il y eut comme une distraction du destin, une fêlure dans sa volonté. Un vrai petit cargo tout fumant, têtu comme un bull-dog et tenant bien la mer quoiqu'il fût peu chargé (une belle bande rouge éclatait au soleil sous la ligne de flottaison), un cargo passa dans la rue marine du village sans que les maisons disparussent sous les flots ni que la fillette fût prise de sommeil.

Il était midi juste. Le cargo fit entendre sa sirène,

mais cette voix ne se mêla pas à celle du clocher.
Chacune gardait son indépendance.

L'enfant, percevant pour la première fois un bruit
qui lui venait des hommes, se précipita à la fenêtre
et cria de toutes ses forces :

« Au secours ! »

Et elle lança son tablier d'écolière dans la direction du navire.

L'homme de barre ne tourna même pas la tête. Et
un matelot, qui faisait sortir de la fumée de sa
bouche, passa sur le pont comme si de rien n'était.
Les autres continuèrent de laver leur linge, tandis
que, de chaque côté de l'étrave, des dauphins s'écartaient pour céder la place au cargo qui se hâtait.

La fillette descendit très vite dans la rue, se coucha
sur les traces du navire et embrassa si longuement
son sillage que celui-ci n'était plus, quand elle se
releva, qu'un bout de mer sans mémoire, et vierge.
En rentrant à la maison, l'enfant fut stupéfaite
d'avoir crié : « Au secours ! » Elle comprit alors seulement le sens profond de ces mots. Et ce sens
l'effraya. Les hommes n'entendaient-ils pas sa voix ?
Ou ils étaient sourds et aveugles, ces marins ? Ou
plus cruels que les profondeurs de la mer ?

Alors une vague vint la chercher qui s'était toujours tenue à quelque distance du village, dans une
visible réserve. C'était une vague énorme et qui se
répandait beaucoup plus loin que les autres, de
chaque côté d'elle-même. Dans le haut, elle portait
deux yeux d'écume parfaitement imités. On eût dit
qu'elle comprenait certaines choses et ne les approu-
vait pas toutes. Bien qu'elle se formât et se défît des
centaines de fois par jour, jamais elle n'oubliait de se
munir, à la même place, de ces deux yeux bien
constitués. Parfois, quand quelque chose l'intéres-

sait, on pouvait la surprendre qui restait près d'une minute la crête en l'air, oubliant sa qualité de vague, et qu'il lui fallait se recommencer toutes les sept secondes.

Il y avait longtemps que cette vague aurait voulu faire quelque chose pour l'enfant, mais elle ne savait quoi. Elle vit s'éloigner le cargo et comprit l'angoisse de celle qui restait. N'y tenant plus, elle l'emmena non loin de là, sans mot dire, et comme par la main.

Après s'être agenouillée devant elle à la manière des vagues, et avec le plus grand respect, elle l'enroula au fond d'elle-même, la garda un très long moment en tâchant de la confisquer, avec la collaboration de la mort. Et la fillette s'empêchait de respirer pour seconder la vague dans son grave projet.

N'arrivant pas à ses fins, elle la lança en l'air jusqu'à ce que l'enfant ne fût pas plus grosse qu'une hirondelle marine, la prit et la reprit comme une balle, et elle retombait parmi des flocons aussi gros que des œufs d'autruche.

Enfin, voyant que rien n'y faisait, qu'elle ne parviendrait pas à lui donner la mort, la vague ramena l'enfant chez elle dans un immense murmure de larmes et d'excuses.

Et la fillette qui n'avait pas une égratignure dut recommencer d'ouvrir et de fermer les volets sans espoir, et de disparaître momentanément dans la mer dès que le mât d'un navire pointait à l'horizon.

Marins qui rêvez en haute mer, les coudes appuyés sur la lisse[2], craignez de penser longtemps dans le noir de la nuit à un visage aimé. Vous risqueriez de donner naissance, dans des lieux essentiellement désertiques, à un être doué de toute la sensibilité humaine et qui ne peut pas vivre ni mourir, ni aimer, et souffre pourtant comme s'il vivait, aimait et se trouvait toujours sur le point de mourir, un être infiniment déshérité dans les solitudes aquatiques, comme cette enfant de l'Océan, née un jour du cerveau de Charles Liévens, de Steenvoorde, matelot de pont du quatre-mâts *Le Hardi*, qui avait perdu sa fille âgée de douze ans, pendant un de ses voyages et, une nuit, par 55 degrés de latitude Nord et 35 de longitude Ouest, pensa longuement à elle, avec une force terrible, pour le grand malheur de cette enfant.

Le bœuf
et l'âne de la crèche

Sur la route de Bethléem, l'âne conduit par Joseph portait la Vierge : elle pesait peu, n'étant occupée que de l'avenir en elle.

Le bœuf suivait, tout seul.

Arrivés en ville, les voyageurs pénétrèrent dans une étable abandonnée et Joseph se mit aussitôt au travail.

« Ces hommes, songeait le bœuf, sont tout de même étonnants. Voyez ce qu'ils parviennent à faire de leurs mains et de leurs bras. Cela vaut certes mieux que nos sabots et nos paturons[3]. Et notre maître n'a pas son pareil pour bricoler et arranger les choses, redresser le tordu et tordre le droit, faire ce qu'il faut sans regret ni mélancolie. »

Joseph sort et ne tarde pas à revenir, portant sur le dos de la paille, mais quelle paille, si vivace et ensoleillée qu'elle est un commencement de miracle.

« Que prépare-t-on là ? se dit l'âne. On dirait qu'ils font un petit lit d'enfant. »

— On aura peut-être besoin de vous cette nuit, dit la Vierge au bœuf et à l'âne.

Les bêtes se regardent longuement pour tâcher de comprendre, puis se couchent.

Une voix légère mais qui vient de traverser tout le ciel les réveille bientôt.

Le bœuf se lève, constate qu'il y a dans la crèche un enfant nu qui dort et, de son souffle, le réchauffe avec méthode, sans rien oublier.

D'un souriant regard, la Vierge le remercie.

Des êtres ailés entrent et sortent feignant de ne pas voir les murs qu'ils traversent avec tant d'aisance.

Joseph revient avec des langes prêtés par une voisine.

— C'est merveilleux, dit-il, de sa voix de charpentier, un peu forte en la circonstance. Il est minuit, et c'est le jour. Et il y a trois soleils au lieu d'un. Mais ils cherchent à se joindre.

A l'aube, le bœuf se lève, pose ses sabots avec précaution, craignant de réveiller l'enfant, d'écraser une fleur céleste, ou de faire du mal à un ange. Comme tout est devenu merveilleusement difficile !

Des voisins viennent voir Jésus et la Vierge. Ce sont de pauvres gens qui n'ont à offrir que leur visage radieux. Puis il en vient d'autres qui apportent des noix, un flageolet[4].

Le bœuf et l'âne s'écartent un peu pour leur livrer passage et se demandent quelle impression ils vont faire eux-mêmes à l'enfant qui ne les a pas encore vus. Il vient de se réveiller.

— Nous ne sommes pas des monstres, dit l'âne.

— Mais, tu comprends, avec notre figure qui n'est pas du tout comme la sienne, ni comme celle de ses parents, nous pourrions l'épouvanter.

— La crèche, l'étable, et son toit avec les poutres, n'ont pas non plus sa figure et pourtant il ne s'en est pas effrayé.

Mais le bœuf n'était pas convaincu. Il pensait à ses cornes et ruminait :

« C'est vraiment très pénible de ne pouvoir s'approcher de ceux qu'on aime le mieux sans avoir l'air menaçant. Il faut toujours que je fasse attention pour ne pas blesser quelqu'un ; et pourtant ce n'est pas dans ma nature de m'en prendre, sans raison grave, aux personnes ni aux choses. Je ne suis pas un malfaisant ni un venimeux. Mais partout où je vais me voilà tout de suite avec mes cornes et je me réveille avec elles, et même quand je suis accablé de sommeil et que je m'en vais en brouillard, les deux pointues, les deux dures sont là qui ne m'oublient pas. Et je les sens au bout de mes rêves au milieu de la nuit. »

Une grande peur saisissait le bœuf à la pensée qu'il s'était tant approché de l'enfant pour le réchauffer. Et s'il lui avait donné par mégarde un coup de corne !

— Tu ne dois pas trop t'approcher du petit, dit l'âne, qui avait deviné la pensée de son compagnon. Il ne faut même pas y songer, tu le blesserais. Et puis tu pourrais laisser tomber sur lui un peu de ta bave que tu retiens mal et ce ne serait pas propre. Au reste, pourquoi baves-tu ainsi lorsque tu es heureux ? Garde ça pour toi. Tu n'as pas besoin de le montrer à tout le monde.

— (Silence du bœuf).

— Mais moi je vais lui offrir mes deux oreilles. Tu comprends, ça remue, ça va dans tous les sens, ça n'a pas d'os, c'est doux au toucher. Ça fait peur et ça rassure tout à la fois. C'est juste ce qu'il faut pour amuser un enfant, et c'est instructif à son âge.

— Oui, je comprends, je n'ai jamais dit le contraire. Je ne suis pas stupide.

Mais comme l'âne avait l'air vraiment trop content, le bœuf ajouta :

— Mais ne va pas te mettre à lui braire dans la figure. Tu le tuerais.

— Paysan! dit l'âne.

L'âne se tient à gauche de la crèche, le bœuf à droite, places qu'ils occupaient au moment de la Nativité[5] et que le bœuf, ami d'un certain protocole, affectionne particulièrement. Immobiles et déférents ils restent là durant des heures, comme s'ils posaient pour quelque peintre invisible.

L'enfant baisse les paupières. Il a hâte de se rendormir. Un ange lumineux l'attend, à quelques pas derrière le sommeil, pour lui apprendre ou peut-être pour lui demander quelque chose.

L'ange sort tout vif du rêve de Jésus et apparaît dans l'étable. Après s'être incliné devant celui qui vient de naître, il peint un nimbe très pur autour de sa tête. Et un autre pour la Vierge, et un troisième pour Joseph. Puis il s'éloigne dans un éblouissement d'ailes et de plumes, dont la blancheur toujours renouvelée et bruissante ressemble à celle des marées.

— Il n'y a pas eu de nimbe pour nous, constate le bœuf. L'ange a sûrement ses raisons pour. Nous sommes trop peu de chose, l'âne et moi. Et puis qu'avons-nous fait pour mériter cette auréole?

— Toi tu n'as certainement rien fait, mais tu oublies que moi j'ai porté la Vierge.

Le bœuf pense par-devers lui :

« Comment se fait-il que la Vierge si belle et si légère cachait ce bel enfançon[6]? »

Mais peut-être a-t-il songé tout haut. Et l'âne de répondre :

— Il est des choses que tu ne peux pas comprendre.

— Pourquoi dis-tu toujours que je ne comprends pas ? J'ai vécu plus que toi. J'ai travaillé dans la montagne, en plaine, et près de la mer.

— Ce n'est pas la question, dit l'âne.

Puis :

— Il n'y a pas que le nimbe. Je suis sûr, bœuf, que tu n'as pas remarqué que l'enfant baigne dans une sorte de poussière merveilleuse ou plutôt, c'est mieux que de la poussière.

— C'est beaucoup plus délicat, dit le bœuf. C'est comme une lumière, une vapeur dorée qui se dégage du petit corps.

— Oui, mais tu dis ça pour faire croire que tu l'avais vue.

— Je ne l'avais pas vue ?

Le bœuf entraîne l'âne dans un coin de l'étable où le ruminant a disposé, en signe d'adoration, une branchette délicatement entourée de brins de paille qui figurent fort bien les irradiations de la chair divine. C'est la première chapelle. Cette paille, le bœuf l'avait apportée du dehors. Il n'osait toucher à celle de la crèche : comme elle était bonne à manger il en avait une crainte superstitieuse.

Le bœuf et l'âne sont allés brouter jusqu'à la nuit. Alors que les pierres mettent d'habitude si longtemps à comprendre, il y en avait déjà beaucoup dans les champs qui savaient. Ils rencontrèrent même un caillou qui, à un léger changement de couleur et de forme, les avertit qu'il était au courant.

Il y avait aussi des fleurs des champs qui savaient et devaient être épargnées. C'était tout un travail de brouter dans la campagne sans commettre de sacrilège. Et manger sans commettre de sacrilège. Et manger semblait au bœuf de plus en plus inutile. Le bonheur le rassasiait.

Avant de boire aussi, il se demandait :

« Et cette eau, sait-elle ? »

Dans le doute il préférait ne pas en boire et s'en allait un peu plus loin vers une eau bourbeuse qui manifestement ignorait tout encore.

Et parfois rien ne le renseignait sinon une douceur infinie dans sa gorge au moment où il avalait l'eau.

« Trop tard, pensait le bœuf, je n'aurais pas dû en boire. »

Il osait à peine respirer, l'air lui semblait quelque chose de sacré et de bien au courant. Il craignait d'aspirer un ange.

Le bœuf était honteux de ne pas se sentir toujours aussi propre qu'il l'eût voulu :

« Eh bien, il faudra être plus propre qu'avant. Voilà tout. Il n'y a qu'à faire attention. Prendre garde où je mets mes pieds. »

L'âne était à son aise.

Le soleil entra dans l'étable et les deux bêtes se disputèrent l'honneur de faire de l'ombre à l'enfant.

« Un peu de soleil, cela ne ferait peut-être pas de mal non plus, pensait le bœuf, mais l'âne va encore déclarer que je n'y entends rien. »

L'enfant continuait de dormir et parfois, dans son sommeil, il réfléchissait et fronçait les sourcils.

Un jour, du museau, l'âne tourna délicatement le petit de son côté, pendant que la Vierge répondait sur le pas de la porte aux mille questions posées par de futurs chrétiens.

Et Marie, revenant auprès de son fils, eut grand-peur : elle s'obstinait à chercher le visage de l'enfant où elle l'avait laissé.

Comprenant ce qui venait d'arriver, elle fit

entendre à l'âne qu'il convenait de ne pas toucher à l'enfant. Le bœuf approuva par un silence d'une qualité exceptionnelle. Il savait donner à son mutisme un rythme, des nuances, une ponctuation. Par les jours froids, on pouvait aisément suivre les mouvements de sa pensée à la longueur de la colonne de vapeur qui s'échappait de ses naseaux. Et se rendre compte de bien des choses.

Le bœuf ne se croyait autorisé à rendre à l'enfant que des services indirects, en attirant à lui les mouches de l'étable, (tous les matins il allait se frotter le dos contre une ruche sauvage), ou bien en écrasant des insectes contre le mur.

L'âne épiait les bruits du dehors et quand quelque chose lui paraissait suspect il barrait l'entrée. Aussitôt le bœuf se mettait derrière lui pour faire masse. Ils se faisaient tous deux aussi lourds que possible : tant que durait le danger, leur tête et leur ventre s'emplissaient de plomb et de granit. Mais leurs yeux brillaient, plus vigilants que jamais.

Le bœuf était stupéfait de voir que la Vierge, s'approchant de la crèche, avait le don de faire sourire l'enfant. Joseph, malgré sa barbe, y parvenait sans trop de peine, soit par sa seule présence, soit qu'il jouât du flageolet. Le bœuf eût voulu aussi jouer quelque chose. Somme toute, il n'y avait qu'à souffler.

« Je ne veux pas dire du mal du patron, mais je ne pense pas qu'il aurait pu, de son souffle, réchauffer l'Enfant Jésus. Et pour ce qui est de la flûte, il suffirait que je me trouve seul avec le petit : dans ce cas il ne m'intimide plus. Il redevient un être qui a besoin de protection. Et un bœuf a tout de même le sentiment de sa force. »

Quand ils paissaient ensemble dans les champs, il arrivait souvent au bœuf de quitter l'âne :

— Où vas-tu ainsi?

— Je reviens tout de suite.

— Où vas-tu ainsi? insistait l'âne.

— Je vais voir s'il n'a besoin de rien. On ne sait jamais.

— Mais laisse-le donc tranquille!

Le bœuf partait. Il y avait à l'étable une espèce de lucarne — ce qu'on devait nommer plus tard, pour cette raison même, un œil-de-bœuf — par où le bovin regardait du dehors.

Un jour, le bœuf remarqua que Marie et Joseph s'étaient absentés. Il trouva le flageolet sur un banc, à portée de son museau, et ni trop loin ni trop près de l'Enfant.

« Qu'est-ce que je vais pouvoir lui jouer? se dit le bœuf qui n'osait aller jusqu'à l'oreille de Jésus que grâce à cet intermédiaire musical. Une chanson de labour? le chant guerrier du petit taureau courageux ou la génisse enchantée? »

Souvent les bœufs font semblant de ruminer alors qu'au fond de leur âme ils chantent.

Le bœuf souffla délicatement dans la flûte et il n'est pas du tout sûr qu'un ange l'ait aidé à obtenir des sons aussi purs. L'enfant se dressa un peu, de la tête et des épaules, sur sa couche, pour voir. Pourtant le flûtiste ne fut pas content du résultat. Il se croyait sûr, du moins, que personne, du dehors, ne l'avait entendu. Il se trompait.

Vite il s'enfuit, crainte que quelqu'un, et surtout l'âne, n'entrât et ne le surprît trop près de la petite flûte.

— Viens le voir, dit un jour la Vierge au bœuf,

pourquoi ne t'approches-tu plus jamais de mon enfant, toi qui l'as si bien réchauffé alors qu'il était encore tout nu ?

Enhardi, le bœuf se plaça tout près de Jésus qui, pour le mettre tout à fait à l'aise, lui saisit le museau des deux mains. Le bœuf retenait son souffle, inutile maintenant. Jésus souriait. La joie du bœuf était muette. Elle avait pris la forme même de son corps et l'emplissait jusqu'à la pointe des cornes.

L'enfant regardait l'âne et le bœuf tour à tour, l'âne, un peu trop sûr de lui, et le bœuf qui se sentait d'une opacité extraordinaire auprès de ce visage délicatement éclairé de l'intérieur, comme si à travers de légers rideaux on eût vu passer une lampe d'une pièce à l'autre, dans une très petite et lointaine demeure.

Voyant le bœuf si ténébreux, l'enfant se mit à rire aux éclats.

La bête ne voyait pas très clair dans ce rire et se demandait si le petit ne se moquait pas. Fallait-il désormais se montrer plus réservé ? Ou même s'éloigner ?

Alors l'enfant rit de nouveau et d'un rire si lumineux, si filial, lui sembla-t-il, que le bœuf comprit qu'il avait eu raison de rester.

La Vierge et son fils se regardaient souvent de tout près. Et c'était à qui serait plus fier de l'autre.

« Il me semble que tout devrait être à la joie, pensait le bœuf, jamais on ne vit mère plus pure, enfant plus beau. Mais par moments, comme ils ont l'air grave l'un et l'autre ! »

Le bœuf et l'âne se disposaient à rentrer dans l'étable. Après avoir bien regardé, crainte de se tromper :

— Regarde donc cette étoile qui avance dans le ciel, dit le bœuf, elle est bien belle et me réchauffe le cœur.

— Laisse donc ton cœur tranquille, il n'a rien à voir avec les grands événements auxquels nous assistons depuis quelque temps.

— Tu diras ce que tu voudras, moi j'estime que cette étoile avance de notre côté. Regarde comme elle est basse dans le ciel. On dirait qu'elle se dirige vers notre étable. Et, dessous, il y a trois personnages couverts de pierres précieuses.

Les bêtes arrivaient devant le seuil de l'étable :

— D'après toi, bœuf, qu'est-ce qui va arriver ?

— Tu m'en demandes trop, âne. Je me contente de voir ce qui est. C'est déjà beaucoup.

— Moi, j'ai mon idée.

— Allez, allez, leur dit Joseph, ouvrant la porte. Vous ne voyez donc pas que vous obstruez l'entrée et empêchez ces personnes d'avancer.

Les bêtes s'écartèrent pour laisser passer les rois mages. Ils étaient au nombre de trois et l'un d'eux, complètement noir, représentait l'Afrique. Tout d'abord, le bœuf exerça sur lui une surveillance discrète. Il voulait voir si vraiment le nègre n'éprouvait que de bonnes intentions à l'égard du nouveau-né.

Quand le visage du Noir qui devait être un peu myope se fut penché pour voir Jésus de tout près, il refléta, poli et lustré comme un miroir, l'image de l'Enfant, et avec tant de déférence, un si grand oubli de soi, que le cœur du bœuf en fut traversé de douceur.

« C'est quelqu'un de très bien, pensa-t-il. Jamais les deux autres n'auraient pu faire ça. »

Il ajouta au bout de quelques instants :

« Et c'est même le meilleur des trois. »

Le bœuf venait de surprendre les rois blancs au moment où ils serraient précieusement dans leurs bagages un brin de paille qu'ils venaient de dérober à la crèche. Le mage noir n'avait rien voulu prendre.

Côte à côte sur une couche improvisée, prêtée par des voisins, les rois s'endormirent.

« C'est étrange, pensait le bœuf, de garder sa couronne pour dormir. Cette chose dure doit gêner beaucoup plus que des cornes. Et avec toutes ces brillantes pierreries sur la tête, on doit avoir du mal à trouver le sommeil. »

Ils dormaient sagement, comme des statues allongées sur des tombeaux. Et leur étoile brillait au-dessus de la crèche.

Juste avant le petit jour tous les trois se levèrent en même temps, avec des mouvements identiques. Ils venaient de voir en songe le même ange qui leur avait recommandé de partir tout de suite et de ne pas retourner auprès d'Hérode, jaloux, pour lui dire qu'ils avaient vu l'Enfant Jésus.

Ils sortirent laissant luire l'étoile au-dessus de la crèche afin que chacun sût bien que c'était là.

Prière du Bœuf

Il ne faut pas me juger, céleste Enfant, d'après mon air ahuri et incompréhensif. Est-ce que je ne pourrai pas un jour ne plus ressembler à un petit rocher qui s'avance ?

Ces cornes, il faut bien que tu le saches, n'est-ce pas, c'est plutôt un ornement qu'autre chose, je vais même t'avouer que je ne m'en suis jamais servi.

Jésus, mets un peu de ta lumière dans toutes ces pauvretés et ces confusions qui sont en moi. Apprends-moi un peu de ta finesse, toi dont les

petits pieds et les petites mains sont si minutieuse-
ment attachés à ton corps. Me diras-tu, mon petit
Monsieur, pourquoi un jour il m'a suffi de tourner la
tête pour te voir tout entier ? Comme je te remercie
de pouvoir être agenouillé devant toi, merveilleux
Enfant, et de vivre ainsi dans la familiarité des anges
et des étoiles ! Parfois je me demande si tu n'aurais
pas été mal informé et si c'est bien moi qui devrais
être ici ; tu n'as peut-être pas remarqué que j'ai une
grande cicatrice dans le dos et qu'il me manque du
poil sur le côté, ce qui est assez vilain. Sans même
sortir de ma famille on aurait pu désigner pour être
ici mon frère ou mes cousins qui sont beaucoup
mieux que moi. Est-ce que le lion ou l'aigle
n'auraient pas été plus indiqués ?

— Tais-toi, dit l'âne, qu'est-ce que tu as à soupirer
ainsi, tu ne vois pas que tu l'empêches de dormir
avec toutes tes ruminations.

« Il a raison, se dit le bœuf, il faut savoir se taire
quand c'est l'heure, même si l'on ressent un bonheur
si grand qu'on ne sait où le loger. »

Mais l'âne priait aussi :
« Anes de trait, ânes de bât, la vie va être belle sous
nos pas et dans de gais pâturages les ânons atten-
dront les événements. Grâce à toi, petit jeune
homme, les pierres resteront à leur vraie place sur le
bord du chemin et on ne les verra pas nous tomber
dessus. Autre chose. Pourquoi donc y aurait-il
encore des côtes et même des montagnes sur notre
route ? Est-ce que de la plaine partout ne ferait pas
l'affaire de tout le monde ? Et pourquoi le bœuf qui
est plus fort que moi ne porte jamais personne sur le
dos ? Et pourquoi mes oreilles sont si longues et je

n'ai pas de crins à ma queue, et mes sabots sont si petits et mon poitrail est resserré et ma voix a la couleur des intempéries ? Mais ce n'est peut-être pas là quelque chose de définitif ? »

Durant les nuits qui suivirent, ce fut tantôt à une étoile et tantôt à une autre d'être de garde. Et parfois à des constellations tout entières. Pour cacher le secret du ciel un nuage occupait toujours la place où auraient dû se trouver les étoiles absentes. Et c'était merveille de voir les Infiniment Éloignées, se faire toutes petites pour se placer au-dessus de la crèche, et garder pour elles seules leurs excès de chaleur, de lumière, et leur immensité, ne répandant que le nécessaire pour chauffer et éclairer l'étable, et ne pas effrayer un enfant. Premières nuits de la Chrétienté... La Vierge, Joseph, l'Enfant, le Bœuf et l'Ane, étaient alors extraordinairement eux-mêmes. Leur propre ressemblance qui le jour se dispersait un peu, et s'éparpillait auprès des visiteurs, prenait après le coucher du soleil une concentration et une sécurité miraculeuses.

Par l'intermédiaire du bœuf et de l'âne, plusieurs bêtes demandèrent à connaître l'Enfant Jésus. Et un beau jour un cheval connu pour son liant et sa rapidité fut désigné par le bœuf, avec le consentement de Joseph, pour convoquer dès le lendemain tous ceux qui voudraient venir.

L'âne et le bœuf se demandaient si on laisserait entrer les bêtes féroces et aussi les dromadaires, chameaux, éléphants, toutes bêtes que rendent un peu suspectes leurs bosses, trompes, et un surplus d'os et de chair.

La question se posait aussi pour les insectes

affreux comme les scorpions, les tarentules, les grandes mygales, les vipères, pour ceux et celles qui produisent du venin dans leurs glandes aussi bien la nuit que le jour, et même à l'aube quand tout est pur.

La Vierge n'hésita pas.

— Vous pouvez tous les faire entrer, mon enfant est aussi en sécurité dans sa crèche qu'il le serait au plus haut du ciel.

— Et un à un! ajouta Joseph d'un ton presque militaire. Je ne veux pas qu'il passe deux bêtes à la fois par la porte, sans quoi on ne s'y reconnaîtra plus.

On commença par les bêtes venimeuses, chacun ayant le sentiment qu'on leur devait bien cette réparation. On remarqua beaucoup le tact des serpents qui évitèrent de regarder la Vierge, passant le plus loin possible de sa personne. Et ils sortirent avec autant de calme et de dignité que s'ils eussent été des colombes ou des chiens de garde.

Il y avait aussi des bêtes si petites que l'on savait difficilement si elles étaient là ou attendaient encore dehors. On accorda une heure entière aux atomes pour se présenter et faire le tour de la crèche. Le délai expiré, bien que Joseph eût senti, à un léger picotement de la peau, qu'ils n'étaient pas tous passés, il donna aux bêtes suivantes l'ordre de se montrer.

Les chiens ne purent s'empêcher de marquer leur étonnement : ils n'avaient pas été admis à demeure à l'étable comme le bœuf et l'âne. Chacun les caressa en guise de réponse. Alors ils se retirèrent, pleins d'une gratitude visible.

Tout de même, quand on sentit à son odeur que le

lion approchait, le bœuf et l'âne ne furent pas tranquilles. Et d'autant moins que cette odeur traversait, sans même y faire attention, l'encens et la myrrhe et les autres parfums que les rois mages avaient largement répandus.

Le bœuf appréciait les généreuses raisons qui motivaient la confiance de la Vierge et de Joseph. Mais placer un enfant, cette délicate lumière, à côté d'une bête dont le souffle pouvait l'éteindre d'un seul coup...

L'inquiétude du bœuf et de l'âne s'augmentait de ce qu'il était décent, ils le voyaient bien, qu'ils fussent totalement paralysés devant le lion. Ils ne pouvaient pas plus songer à s'attaquer à lui qu'au tonnerre ou à la foudre. Et le bœuf, affaibli par le jeûne, se sentait plutôt aérien que combatif.

Le lion entra avec sa toison, que n'avait jamais peignée que le vent du désert, et des yeux mélancoliques qui disaient : « Je suis le lion, qu'y puis-je, je ne suis que le roi des animaux. »

On voyait que sa grande préoccupation consistait à prendre le moins de place possible dans l'étable et que ce n'était pas facile, à respirer sans rien déranger autour de lui, à oublier ses griffes rétractiles et ses maxillaires mus par des muscles très puissants. Il avançait, paupières baissées, cachant ses admirables dents comme une maladie honteuse, et avec tant de modestie qu'il appartenait, on le voyait bien, à la race des lions qui devaient refuser un jour de dévorer sainte Blandine. La Vierge eut pitié et voulut le rassurer d'un sourire semblable à ceux qu'elle réservait pour son enfant. Le lion regarda droit devant lui, d'un air de dire sur un ton plus désespéré encore que tout à l'heure :

« Qu'ai-je donc fait pour être si grand et si fort ?

Vous savez bien que je n'ai jamais mangé que poussé par la faim et le grand air. Et vous comprendrez aussi qu'il y avait la question des lionceaux. Nous avons tous plus ou moins essayé d'être herbivores. Mais l'herbe n'est pas faite pour nous. Ça ne passe pas. »

Alors son énorme tête, comme une explosion de crins et de poils, s'inclina et se posa tristement sur le sol dur et le pinceau terminal de sa queue sembla aussi accablé que sa tête, au milieu d'un grand silence qui fit peine à chacun.

Quand ce fut le tour du tigre, il s'écrasa par terre jusqu'à devenir, à force de mortifications et d'austérités, une véritable descente de lit, au pied de la crèche. Puis, en quelques secondes il se reconstitua tout entier avec une rigueur, une élasticité incroyables et sortit sans rien ajouter.

La girafe montra un bon moment ses pattes dans l'embrasure de la porte et on fut unanime à considérer que « ça comptait » comme si elle avait fait le tour de la crèche.

Il en fut de même pour l'éléphant : il se contenta de s'agenouiller devant le seuil et de faire, de sa trompe, une espèce de mouvement d'encensoir qui fut fort goûté de tous.

Un mouton à l'énorme laine insista pour être tondu sur-le-champ : on lui laissa sa toison, tout en le remerciant.

La mère kangourou voulut à toute force donner à Jésus un de ses petits, prétextant qu'elle faisait ce cadeau de tout son cœur, que ça ne la privait pas, qu'elle avait d'autres petits kangourous à la maison. Mais Joseph ne l'entendait pas ainsi et elle dut remporter son enfant.

L'autruche fut plus heureuse; elle profita d'un

moment d'inattention pour pondre son œuf dans un coin et s'en aller sans bruit. Souvenir qu'on n'aperçut que le lendemain matin. L'âne le découvrit. Il n'avait jamais rien vu de si gros ni de si dur, en fait d'œuf, et crut à un miracle. Joseph le détrompa de son mieux : il en fit une omelette.

Les poissons, n'ayant pu se montrer en raison de leur lamentable respiration hors de l'eau, avaient délégué une mouette pour les remplacer.

Les oiseaux s'en allaient laissant leurs chants, les pigeons leurs amours, les signes leur gaminerie, les chats leur regard, les tourterelles la douceur de leur gorge.

Et ils eussent voulu se présenter aussi, les animaux qui ne sont pas encore découverts et attendent un nom au sein de la terre ou de la mer, dans des profondeurs telles que c'est toujours pour eux une nuit sans étoiles ni lune, ni changement de saisons.

On sentait battre dans l'air l'âme de ceux qui n'avaient pu venir ou étaient en retard, d'autres qui, habitant au bout du monde, s'étaient tout de même mis en route sur leurs pattes d'insectes si petits qu'ils n'auraient pu faire qu'un mètre en une heure et dont la vie était si courte qu'ils ne pouvaient aspirer à dépasser cinquante centimètres — et encore, avec beaucoup de chance.

Il y eut des miracles : la tortue se dépêcha, l'iguane modéra son allure, l'hippopotame fut gracieux dans ses génuflexions, les perroquets gardèrent le silence.

Un peu avant le coucher du soleil, un incident peina tout le monde. Joseph fatigué d'avoir dirigé le défilé toute la journée, sans prendre la moindre nourriture, écrasa du pied une mauvaise araignée, dans un moment de distraction, oubliant qu'elle venait apporter ses hommages à l'Enfant. Et le visage bouleversé du saint consterna tout le monde pendant un bon moment.

Certaines bêtes dont on aurait attendu plus de discrétion s'attardaient dans l'étable : le bœuf dut éloigner la fouine, l'écureuil, le blaireau qui ne voulaient pas sortir.

Quelques papillons crépusculaires demeuraient qui profitèrent de leur couleur semblable à celle des poutres de la toiture pour passer toute la nuit au-dessus de la crèche. Mais le premier rayon de soleil les décela le lendemain et comme Joseph ne voulait favoriser personne il les chassa immédiatement.

Des mouches, invitées aussi à se retirer, laissèrent entendre par leur mauvaise volonté à s'en aller qu'elles avaient toujours été là, et Joseph ne sut que leur dire.

Les apparitions surnaturelles au milieu desquelles vivait le bœuf lui coupaient souvent la respiration. Ayant pris l'habitude de retenir son souffle, à la manière des ascètes de l'Asie, il devint lui aussi visionnaire, et, bien que moins à l'aise dans la grandeur que dans l'humilité, il connut de véritables extases. Mais un scrupule le guidait et l'empêchait d'imaginer des anges ou des saints. Il ne les voyait que si réellement ils se trouvaient dans le voisinage.

« Pauvre de moi, pensait le bovin effrayé de ces apparitions qui lui semblaient suspectes, pauvre de moi qui ne suis qu'une bête de somme ou peut-être même le démon. Pourquoi ai-je les cornes comme lui, moi qui n'ai jamais fait le mal ? Et si je n'étais qu'un sorcier ? »

Joseph ne fut pas sans remarquer les inquiétudes du bœuf qui maigrissait à vue d'œil.

— Va donc manger dehors ! s'écria-t-il. Tu es là toute la journée fourré dans nos jambes, tu n'auras bientôt plus que la peau sur les os.

L'âne et le bœuf sortirent.

— C'est vrai que tu es maigre, dit l'âne. Tes os sont devenus si pointus qu'il va te sortir des cornes sur tout le corps.

— Ne me parle pas de cornes !

Et le bœuf se dit à lui-même :

« Il a raison, oui, il faut vivre. Tiens, prends donc cette belle touffe de vert. Et cette autre ? Tu t'imagines donc qu'elle est vénéneuse ? Non, je n'ai pas faim. Qu'il est beau cet Enfant tout de même ! Et ces grandes figures qui entrent et qui sortent et respirent par leurs ailes toujours battantes. Tout ce beau monde céleste qui pénètre sans se salir dans notre simple étable. Allons, mange donc, bœuf, ne t'occupe pas de ça. Et puis, il ne faut pas te laisser réveiller par le bonheur qui vient te tirer les oreilles au milieu de la nuit. Ni rester si longtemps auprès de la crèche sur un seul genou pour que ça te fasse mal. Ton cuir de bœuf est tout usé à la jointure de l'os ; encore un petit moment, et les mouches vont s'y mettre. »

Une nuit, ce fut à la constellation du Taureau d'être de garde au-dessus de la crèche, sur un pan de ciel noir. L'œil rouge d'Aldébaran[7] luisait magnifique et enflammé, tout proche. Et les cornes, les flancs taurins s'ornaient d'énormes pierreries. Le bœuf était fier de voir l'Enfant si bien gardé. Tous dormaient paisiblement, l'âne, les oreilles baissées et confiantes. Mais le bœuf, bien que fortifié par la surnaturelle présence de cette constellation parente et amie, se sentait plein de faiblesse. Il songeait à ses sacrifices pour l'Enfant, à ses veilles inutiles, à sa protection dérisoire.

« Est-ce que la constellation du Taureau m'a vu, pensait-il. Ce gros œil rouge étoilé, qui brille à faire peur, sait-il que je suis là ? Ces étoiles, c'est si haut, c'est si distant qu'on ne sait même pas de quel côté elles regardent. »

Soudain Joseph qui s'agitait sur sa couche depuis quelques instants se lève, les bras au ciel. Lui qui d'habitude montre tant de mesure dans ses gestes et ses paroles, voilà qu'il réveille tout le monde, même l'Enfant.

— J'ai vu le Seigneur en songe. Il faut que nous partions sans tarder. Hérode, oui, à cause de lui qui veut s'en prendre à Jésus.

La Vierge prend son fils dans ses bras comme si le roi des Juifs était déjà là, dans l'embrasure de la porte, à la main un coutelas de boucherie.

L'âne se met sur pied.

— Et celui-là ? dit Joseph à la Vierge en désignant le bœuf.

— Il me semble qu'il est bien faible pour venir avec nous.

Le bœuf veut montrer qu'il n'en est rien. Il fait un énorme effort pour se lever, mais jamais il ne s'est senti plus attaché au sol. Alors, implorant secours, il regarde la constellation du Taureau. Il ne compte plus que sur elle pour avoir la force de partir. Le céleste bovin ne bronche pas, l'œil toujours aussi rouge et enflammé, et toujours de profil par rapport au bœuf.

— Voilà plusieurs jours qu'il ne mange pas, dit la Vierge à Joseph.

« Oh ! Je comprends bien qu'ils vont me laisser ici, songe le bœuf. C'était trop beau, cela ne pouvait durer. Au reste je n'aurais été sur les routes qu'un spectre osseux et retardataire. Toutes mes côtes en ont assez de ma peau et ne demandent plus qu'à prendre leurs aises sous le ciel. »

L'âne s'approche du bœuf, frotte son museau contre celui du ruminant pour lui faire savoir que la Vierge vient de le recommander à une voisine et qu'il ne manquera de rien après leur départ. Mais le bœuf, paupières mi-closes, semble absolument écrasé.

La Vierge le caresse et s'écrie :

— Mais nous ne partons pas en voyage, bien entendu. C'était simplement pour te faire peur !

— Ça va sans dire, nous revenons tout de suite, ajoute Joseph, on ne s'en va pas ainsi au loin, au milieu de la nuit.

— La nuit est très belle, reprend la Vierge, et nous en profiterons pour faire prendre l'air à l'enfant, il est un peu pâlot ces jours-ci.

— C'est parfaitement vrai, dit le saint homme.

C'est le pieux mensonge. Le bœuf le comprend et ne voulant pas gêner les partants dans leurs prépara-tifs, il feint de tomber dans un profond sommeil. C'est sa façon de mentir.

— Il s'est endormi, dit la Vierge, mettons tout près de lui la paille de la crèche pour qu'il n'ait besoin de rien quand il se réveillera. Laissons-lui le flageolet à portée de son souffle, poursuit-elle tout bas, il aime bien en jouer quand il est seul.

Ils se disposent à partir. La porte de l'étable crisse.

« J'aurais dû l'huiler », pense Joseph, qui craint de réveiller le bœuf, mais celui-ci fait toujours semblant de dormir.

La porte est refermée avec soin.

Tandis que l'âne de la crèche devient peu à peu

celui de la fuite en Égypte[8], le bœuf reste les yeux fixés sur cette paille où tout à l'heure encore reposait l'Enfant Jésus.

Il sait bien que jamais il n'y touchera non plus qu'au flageolet.

La constellation du Taureau, d'un bond, regagne le zénith et, d'un seul coup de corne, se fixe au ciel, à la place qu'elle ne devait plus jamais quitter.

Quand la voisine entra, un peu après l'aube, le bœuf avait cessé de ruminer.

L'Inconnue de la Seine

« Je croyais qu'on restait au fond du fleuve, mais voilà que je remonte », pensait confusément cette noyée de dix-neuf ans qui avançait entre deux eaux.

C'est un peu après le Pont Alexandre[9] qu'elle eut grand-peur, quand les pénibles représentants de la Police fluviale la frappèrent à l'épaule de leurs gaffes en essayant en vain d'accrocher sa robe.

Heureusement la nuit venait et ils n'insistèrent point.

« Repêchée, pensait-elle. Avoir à s'exposer devant ces gens-là sur la planche de quelque morgue sans pouvoir faire le moindre mouvement de défense ni de recul, ni même lever le petit doigt. Se sentir morte et qu'on vous caresse la jambe. Et pas une femme, pas une femme tout autour pour vous sécher et faire votre dernière toilette. »

Enfin elle avait dépassé Paris et filait maintenant entre des rives ornées d'arbres et de pâturages, tâchant de s'immobiliser, le jour, dans quelque repli du fleuve, pour ne voyager que la nuit, quand la lune et les étoiles viennent seules se frotter aux écailles des poissons.

« Si je pouvais atteindre la mer, moi qui ne crains pas maintenant la vague la plus haute. »

Elle allait sans savoir que sur son visage brillait un sourire tremblant mais plus résistant qu'un sourire de vivante, toujours à la merci de n'importe quoi.

Atteindre la mer, ces trois mots lui tenaient maintenant compagnie dans le fleuve.

Les paupières closes, les pieds joints, les bras au gré de l'eau, agacée par les plis que formait un de ses bas au-dessous du genou, la gorge cherchant encore quelque force du côté de la vie, elle avançait humble et flottant fait divers sans connaître d'autre démarche que celle du vieux fleuve de France, qui, passant toujours par les mêmes méandres, allait aveuglément à la mer.

Dans la traversée d'une ville (« Suis-je à Mantes, suis-je à Rouen ») elle fut maintenue quelques instants par des remous contre l'arche d'un pont et il fallut qu'un remorqueur passât tout près et brouillât l'eau pour qu'elle pût reprendre sa route.

« Jamais, jamais je n'arriverai à la mer », songeait-elle au cœur de sa troisième nuit dans l'eau.

— Mais vous y êtes, lui dit, de tout près, un homme qu'elle devinait très grand et nu et qui lui attacha un lingot de plomb à la cheville.

Puis il lui prit la main avec tant d'autorité, de persuasion, qu'elle n'eût peut-être pas résisté davantage si elle avait été autre chose qu'une petite morte.

« Fions-nous à lui, moi qui ne peux plus rien par moi-même. »

Et le corps de la jeune fille baigna dans une eau de plus en plus profonde.

Quand ils eurent atteint les sables qui attendent sous la mer, plusieurs êtres phosphorescents vinrent à eux, mais l'homme, c'était « le Grand Mouillé », les écarta du geste.

— Ayez confiance en nous, dit-il à la jeune fille.

L'erreur, voyez-vous, c'est de vouloir respirer encore. Ne vous effrayez pas non plus de sentir en vous un cœur qui ne bat presque plus jamais et seulement quand il se trompe. Et ne gardez pas ainsi vos lèvres serrées comme si vous aviez peur d'avaler de l'eau de mer. Elle est maintenant pour vous ce qu'était naguère l'eau douce. Vous n'avez plus rien à craindre, vous entendez, plus rien à craindre. Sentez-vous les forces qui reviennent?

— Ah! je vais m'évanouir.

— Jamais de la vie. Pour hâter l'accoutumance, faites passer d'une main dans l'autre le sable fin qui est à vos pieds. Ce n'est pas la peine d'aller vite. Comme cela, oui. Vous ne tarderez pas à retrouver votre équilibre.

Elle reprenait complètement conscience. Mais tout d'un coup elle eut encore grand-peur. Comment se faisait-il qu'elle comprît ce marin des abîmes sans qu'il eût prononcé une seule parole dans toute cette eau? Mais sa frayeur ne dura pas : elle s'aperçut que l'homme s'exprimait uniquement par les phosphorescences de son corps. Ses bras à elle aussi, nus et légers, dégageaient, en guise de réponse, de petites lumières comme des lucioles. Et les Ruisselants, autour d'eux, ne se faisaient pas comprendre d'une autre façon.

— Et maintenant puis-je savoir d'où vous venez? demanda le Grand Mouillé, qui se tenait toujours de profil par rapport à elle, comme le voulaient les habitudes des Ruisselants, quand un homme s'adressait à une jeune fille.

— Je ne sais plus rien de moi, ni même mon nom.

— Eh bien, vous serez l'Inconnue de la Seine, voilà tout. Croyez que nous ne sommes guère plus renseignés sur notre propre compte. Sachez seulement que c'est ici une grande colonie de Ruisselants et que vous n'y serez pas malheureuse.

Elle battait des cils très vite, comme lorsqu'on est gêné par un excès de lumière et le Grand Mouillé fit signe à tous les poissons-torches, sauf un, de se retirer. Oui, il y en avait, autour d'eux, qui éclairaient les profondeurs et restaient généralement immobiles.

Des gens de tout âge s'approchaient avec curiosité. Ils étaient nus.

— Avez-vous un vœu à exprimer? demanda le Grand Mouillé.

— Je voudrais garder ma robe.

— Vous la garderez, jeune fille, c'est bien simple.

Et dans les yeux, dans les gestes lents et courtois de ces habitants des profondeurs, on distinguait le désir de rendre service à la nouvelle venue.

Le lingot de plomb attaché à sa jambe la gênait. Elle songeait à s'en débarrasser ou tout au moins à desserrer le nœud dès qu'elle ne serait vue de personne. Le Grand Mouillé comprit son intention.

— Surtout ne touchez pas à ça, je vous en supplie, vous perdriez connaissance et remonteriez à la surface, si toutefois vous parveniez à franchir le grand barrage de requins.

La jeune fille se résigna et, à l'imitation de ceux qui l'entouraient, se mit à faire le geste d'écarter des algues et des poissons. Il y avait beaucoup de petits poissons, très curieux, qui rôdaient continuellement comme des mouches ou des moustiques autour de son visage et de son corps, jusqu'à les toucher.

Un ou deux gros poissons domestiques ou de garde (rarement trois) s'attachaient à la personne de chaque Ruisselant et rendaient de menus services, comme tenir divers objets dans leur bouche ou vous débarrasser le dos des herbes marines qui y restaient collées. Ils accouraient au moindre signe, ou même avant. Parfois leur obséquiosité agaçait. Dans leurs yeux on distinguait une admiration ronde et simpliste qui faisait tout de même plaisir. Et jamais on ne les vit manger les petits poissons qui étaient de service comme eux.

« Pourquoi me suis-je jetée à l'eau ? pensait la nouvelle venue. J'ignore même si j'étais là-haut une femme ou une jeune fille. Ma pauvre tête n'est plus peuplée que d'algues et de coquillages. Et j'ai fort envie de dire que cela est très *triste*, bien que je ne sache plus au juste ce que ce mot signifie. »

La voyant ainsi peinée, une autre jeune fille s'approcha qui avait fait naufrage deux ans auparavant et qu'on appelait La Naturelle :

— Le séjour dans les profondeurs, vous verrez, lui dit-elle, vous donnera une confiance très grande. Mais il faut laisser aux chairs le temps de se reformer, de devenir suffisamment denses, pour que le corps ne remonte pas à la surface. Ne pas être là à vouloir manger et boire. Ces enfantillages passent vite. Et je pense que bientôt de vraies perles vous sortiront des yeux quand vous vous y attendrez le moins, ce sera le signe précurseur de l'acclimatation.

— Que fait-on ici ? demanda l'Inconnue de la Seine au bout d'un moment.

— Mille choses ; on ne s'ennuie pas, je vous assure. On visite le fond de la mer pour y recueillir des isolés et les ramener ici, augmenter la puissance de notre colonie. Quelle émotion lorsqu'on en découvre un qui se croit condamné à une solitude éternelle dans notre grande prison de cristal ! Comme il titube et s'accroche aux plantes marines ! Comme il se cache ! Il croit voir partout des requins. Et puis voici un homme comme lui qui s'en vient et l'emporte dans ses bras — à la façon d'un infirmier après la bataille —, vers des régions où il n'aura plus rien à redouter.

— Et les bateaux qui coulent, en voyez-vous souvent?

— Une fois seulement j'ai vu tomber au fond de la mer mille et mille choses destinées à la surface. Tout cela qui nous arrivait dessus, dégringolait dans l'eau : de la vaisselle, des malles, des cordages et même des voitures d'enfants. Il fallut aller secourir ceux qui restaient dans les cabines, enlever tout d'abord leur ceinture de sauvetage. De vigoureux Ruisselants, la hache à la main, délivraient les naufragés. Et, la hache cachée, les rassuraient de leur mieux. On rangeait les provisions de toutes sortes dans les entrepôts qui se trouvent sous notre terre à nous, celle qui est sous la mer.

— Mais puisqu'on n'a plus de besoins?

— Nous feignons d'en avoir pour que le temps pèse moins.

Un homme avançait tenant par la bride un cheval. La bête resplendissante, un peu oblique, luisait d'une majesté, d'une politesse, d'une acceptation de la mort qui étaient autant de merveilles. Et toutes ces bulles d'argent vif autour de son corps!

— Nous avons très peu de chevaux, dit la Naturelle. C'est ici un grand luxe.

Près de l'Inconnue de la Seine, l'homme retint la bête qui portait une selle d'amazone.

— De la part du Grand Mouillé, dit-il.

— Oh! qu'il me pardonne, mais je ne me sens pas encore assez solide.

Et le beau cheval répudié s'en retourna avec toute sa prestance et sa splendeur, comme si rien au monde ne pouvait plus le changer ni l'émouvoir.

— C'est le Grand Mouillé qui commande ici? demanda l'Inconnue de la Seine qui en était bien persuadée.

— Oui, c'est le plus fort de nous tous et celui qui connaît le mieux la région. Et si solide qu'il peut s'élever presque jusqu'à la surface. Quelques simples d'esprit prétendent même qu'il a des nouvelles du soleil, des étoiles et des hommes. Mais il n'en est rien. Et c'est déjà bien beau de pouvoir monter ainsi à la rencontre des noyés errants. Oui, il est des êtres complètement inconnus sur terre et qui sous la mer ont acquis une grande réputation. Vous ne trouverez pas trace dans l'histoire telle qu'on l'enseigne là-haut de l'amiral français Bernard de la Michelette, ni de Pristine, sa femme, ni de notre Grand Mouillé, qui, noyé comme simple mousse à l'âge de douze ans, se trouva si à l'aise dans le milieu sous-marin, qu'il y grandit de façon redoutable et devint un géant de notre faune.

L'Inconnue de la Seine ne quittait pas sa robe, même pour dormir; c'est tout ce qu'elle avait sauvé de sa vie antérieure. Elle utilisait les plis et la mouillure du vêtement qui lui donnaient une miraculeuse élégance au milieu de toutes ces femmes dépouillées. Et les hommes auraient bien voulu connaître la forme de sa gorge.

La jeune fille, qui voulait se faire pardonner sa robe, vivait à l'écart, avec une modestie un peu trop apparente peut-être, et passait sa journée à récolter des coquillages pour les enfants ou pour les plus humbles et les plus mutilés d'entre les noyés. Elle était toujours la première à saluer et s'excusait souvent, même s'il n'y avait pas lieu.

Chaque jour le Grand Mouillé venait lui rendre visite, et ils restaient là tous deux avec leurs phos-

phorescences, comme des morceaux de la Voie lac-
tée chastement allongés l'un près de l'autre.

— Nous ne devons pas être bien loin de la côte,
dit-elle un jour. Si je pouvais remonter le fleuve,
entendre quelques bruits de la ville, ou simplement
la cloche d'un tram qui a du retard au milieu de la
nuit.

— Pauvre enfant, mauvaise mémoire, oubliez-
vous que vous êtes morte et que vous vous expose-
riez à être enfermée là-haut dans la plus odieuse des
prisons? Les vivants n'aiment pas que nous errions
et nous punissent vite de nos vagabondages. Ici,
vous êtes libre, à l'abri.

— Vous ne pensez donc jamais, vous, aux choses
de là-haut? Elles viennent souvent à moi, une à une,
et sans aucun ordre, ce qui me rend très malheureuse. En ce moment même voici une table de
chêne, bien vernie mais toute seule. Elle disparaît et
voici venir l'œil d'un lapin. Et maintenant c'est
l'empreinte d'un pied de bœuf dans le sable. Tout
cela semble s'avancer en ambassade et ne me dit rien
d'autre que sa présence. Et quand les choses
viennent à moi par deux, elles ne sont pas faites pour
aller ensemble. Ici, je vois une cerise dans l'eau d'un
lac. Et que voulez-vous que je fasse de cette mouette
dans un lit, de ce perdreau sur le verre de cette
grande lampe qui fume? Je ne connais rien de plus
désespéré. Ces fragments de la vie, sans la vie, est-ce
donc là ce qu'on nomme la mort?

Et elle ajoutait pour soi :

« Et vous-même qui êtes là, près de moi, de profil,
comme un guerrier taillé dans la banquise? »

L'une après l'autre, les mères refusèrent de laisser leurs filles fréquenter l'Inconnue de la Seine, à cause de cette robe qu'elle portait jour et nuit.

Une naufragée dont la raison avait été ébranlée jusqu'après sa mort et qui ne pouvait trouver l'apaisement :

— Mais elle est vivante, dit-elle. Je vous dis que cette fille est vivante. Si elle était comme nous, ça lui serait bien égal de ne pas porter de robe. Ces ornements ne regardent plus les mortes.

— Taisez-vous donc, vous avez perdu l'esprit, dit la Naturelle. Comment voulez-vous qu'elle soit vivante, sous la mer ?

— C'est vrai qu'on ne peut pas vivre sous la mer, répondait la folle accablée, comme si elle se rappelait soudain une leçon apprise il y avait très longtemps.

Mais cela ne l'empêchait pas de venir répéter au bout d'un moment :

— Et moi, je vous dis qu'elle est vivante !

— Voulez-vous nous laisser tranquilles, espèce de détraquée, ripostait la Naturelle. Tout de même, ça ne devrait pas être permis de dire des choses pareilles !

Mais, un jour, celle-là même qui avait toujours été la meilleure amie de l'Inconnue, s'approcha d'elle avec un visage qui voulait dire : « Moi aussi je vous en veux. »

— Pourquoi tenir ainsi à une robe, au fond de la mer ? dit la Naturelle.

— Il me semble qu'elle me protège contre tout ce que je ne comprends pas encore.

Alors une femme, qui lui avait déjà fait des reproches, s'écria :

— Elle est bien trop contente de se singulariser ainsi! Ce n'est qu'une petite débauchée. Et moi, je vous assure, que j'ai été mère de famille sur terre et que si j'avais ma fille près de moi, je n'hésiterais pas à lui dire : « Enlevez votre robe, vous m'entendez! » Et toi aussi, enlève-la, dit-elle à l'Inconnue, qu'elle tutoyait pour l'humilier. (C'était, au fond de la mer, la pire des insultes.) Ou bien gare à ceci, mignonne, dit-elle en la menaçant d'une paire de ciseaux qu'elle finit par jeter avec rage aux pieds de la jeune fille.

— Voulez-vous vous en aller! dit la Naturelle, émue par tant de méchanceté.

L'Inconnue, restée seule, cacha comme elle put sa douleur dans l'eau lourde et difficile.

« Est-ce que ce n'est pas là, pensait-elle, ce qu'on appelle, sur terre, l'envie? »

Et voyant rouler de ses yeux tristement de lourdes perles :

— Ah! non jamais! dit-elle, je ne peux pas, je ne veux pas m'habituer.

Elle s'enfuit vers des régions désertiques, aussi vite que le lui permettait le lingot de plomb qu'elle traînait à la jambe.

« Grimaces affreuses de la vie, pensait-elle, laissez-moi tranquille. Mais laissez-moi donc tranquille! Que voulez-vous que je fasse de vous, quand le reste n'existe plus! »

Quand elle eut laissé loin derrière elle tous les poissons-torches et qu'elle se fut trouvée dans la nuit profonde, elle coupa le fil d'acier qui l'attachait au fond de la mer avec les ciseaux noirs qu'elle avait ramassés, avant de s'enfuir.

« Mourir enfin tout à fait », pensait-elle, en s'élevant dans l'eau.

Dans la nuit marine ses propres phosphorescences

devinrent très lumineuses, puis s'éteignirent pour toujours. Alors son sourire d'errante noyée revint sur ses lèvres. Et ses poissons favoris n'hésitèrent pas à l'escorter, je veux dire à mourir étouffés, à mesure qu'elle regagnait les eaux moins profondes.

Les boiteux du ciel

Les Ombres des anciens habitants de la Terre se trouvaient réunies dans un large espace céleste ; elles marchaient dans l'air comme des vivants l'eussent fait sur terre.

Et celui qui avait été un homme de la préhistoire se disait :

« Ce qu'il nous faudrait, voyez-vous, c'est une bonne caverne spacieuse, bien abritée, et quelques pierres pour faire du feu. Mais quelle misère ! Rien de dur autour de nous, rien que des spectres et du vide. »

Et le père de famille des temps modernes introduisait avec précaution ce qu'il prenait pour sa clef dans le trou de sa serrure et faisait mine de fermer sa porte avec le plus grand soin.

« Allons, je suis rentré chez moi, pensait-il. Voilà une journée finie ; je vais dîner et me coucher tranquillement. »

Le lendemain il faisait comme si sa barbe avait poussé durant la nuit et se savonnait longuement avec un blaireau de brouillard.

Oui, tout cela, maisons, cavernes, portes, et même les faces des gros bourgeois qui avaient eu un jour le teint couperosé, n'étaient plus maintenant que des ombres grises qui se souvenaient, de grands mutilés de tout leur corps, des fantômes de gens, de villes, de fleuves, de continents, car on retrouvait là-haut une Europe aérienne avec la France, tout entière, son Cotentin et sa Bretagne, péninsules dont elle n'avait pas voulu se séparer, et une Norvège dont pas un fjord ne manquait.

Tout ce qu'on faisait sur terre se reflétait dans cette partie du ciel et même si on changeait un pavé dans une rue obscure.

On voyait passer les âmes des véhicules de tous les siècles, charrettes des rois fainéants, pousse-pousse, camionnettes automobiles, omnibus, filanzanes.

Et ceux qui n'avaient jamais connu que leurs pieds comme moyen de transport se servaient seulement de leurs pieds.

Certains ne croyaient pas encore à l'électricité, d'autres l'annonçaient pour bientôt, d'autres tournaient des commutateurs imaginaires et pensaient y voir plus clair.

De temps en temps une voix, la seule qu'on entendît dans ces espaces interstellaires et qui venait on ne savait d'où, disait à chacun dans ce qui avait été autrefois le tuyau de son oreille :

« Au surplus, n'oubliez pas que vous n'êtes que des ombres. »

Mais chacun ne comprenait le sens de ces paroles que pendant quatre à cinq secondes, après quoi c'était comme si on n'avait rien dit. Les Ombres croyaient de nouveau à tout ce qu'elles faisaient, suivaient leur idée.

On était privé de la parole, et même du murmure.

Mais l'âme était si transparente que pour engager une conversation il suffisait de se placer en face de son *interlocuteur*, si l'on peut dire.

On pouvait surprendre une mère pensant devant son fils en bas âge, comme s'il avait vraiment couru un risque :

« Attention, tu vas tomber, et te tuer ! »

Et près d'une voisine :

« Hier il m'est arrivé du collège avec les genoux ensanglantés. »

Pour cacher ses sentiments on se voyait obligé de s'enfuir à toutes jambes, de s'isoler, si on pouvait. Mais la plupart des gens prenaient l'habitude de ne penser à rien de secret, de s'exprimer de façon parfaitement courtoise.

Chacun avait toujours l'apparence du même âge, mais cela n'empêchait pas les parents de demander à leurs enfants ce qu'ils comptaient faire plus tard et de trouver qu'ils avaient beaucoup, vraiment beaucoup grandi, et profitaient, que c'en était un plaisir. Mais quand les jeunes gens s'embrassaient, c'était avec indifférence.

Les aveugles y voyaient tout autant que les autres et affectaient de marcher sans canne, mais ils gardaient la tête très en arrière comme pour éviter des obstacles, hélas inexistants.

Et l'homme qui avait connu un grand amour sur terre changeait souvent de trottoir dans l'espérance d'être plus heureux en face. (C'était le cas de Charles Delsol, vous le verrez tout à l'heure.)

Parfois, sans en souffrir le moins du monde, les derniers arrivants s'arrachaient le cœur, masse grise palpitante qu'ils jetaient à leurs pieds et regardaient longuement, et piétinaient, puis le cœur modeste et non changé reprenait avec calme sa place dans la poitrine de l'homme désincarné qui n'avait pas réussi à souffrir ni à pleurer.

On consolait les nouveaux qui ne savaient encore

que faire de leur ombre et n'osaient mettre un pied devant l'autre, ni lever la main pour saluer, ni croiser les jambes, courir, sauter avec ou sans élan, toutes choses que les anciens faisaient sans difficulté. Ils étaient là tout le temps à regarder autour d'eux, à se tâter comme s'ils avaient perdu leur portefeuille.

« Ça passera, cela finira bien un jour. »

Finir un jour.

« Vous n'êtes pas à plaindre, leur disait-on. Il y en a de plus malheureux. » Et, de l'index, on désignait l'endroit où devait se trouver la Terre à cet instant même, la Terre invisible. Les tout petits, les nouveau-nés aussi, savaient exactement où elle était, même quand on les réveillait en sursaut au milieu de la nuit pour le leur demander.

On n'entendait aucun bruit et comme on tendait l'oreille! Comme on épiait les lèvres grises des hommes et des femmes, comme on se penchait sur les berceaux, espérant qu'enfin un son en sortirait!

On se réunissait tantôt chez l'un, tantôt chez l'autre pour *entendre* un morceau déterminé joué sur un violoncelle sans corps, ou bien pour que chacun, livré à sa fantaisie, et selon ses goûts, perçût un quatuor de musique en chambre ou la voix des grandes orgues, ou un solo de flûte, ou le bruit du vent dans les sapins, à travers une grosse pluie.

Un homme, qui avait été un grand pianiste, s'assit un jour à son fantomatique piano et invita les amis à le venir voir jouer. Chacun comprit que ça allait être du Bach. On pensait que peut-être, vu le génie de l'exécutant et du compositeur, on allait entendre quelque chose. Et les invités faisaient aller leur tête de droite et de gauche dans une grande espérance. Certains avaient pensé que c'était Bach lui-même. En effet, c'était lui. Il joua la Toccata et Fugue. On suivait avec passion le jeu de l'artiste et chacun crut vraiment l'entendre. A la fin du morceau tous se mirent à battre des mains avec enthousiasme, mais il fut manifeste que nul bruit n'en sortait. Alors, comprenant qu'il n'y avait pas eu miracle, on se hâta de rentrer chez soi au plus vite.

Mais la grande tristesse des Ombres venait surtout de ce qu'elles ne pouvaient rien saisir. Autour d'elles tout semblait à l'état d'abstractions. Avoir à soi un bout d'ongle, un cheveu, un croûton de pain, n'importe quoi, mais qui fût consistant.

Un jour, des flâneurs qui se promenaient sur ce qu'on prenait généralement pour la place publique virent une longue boîte, en vrai bois, vraiment blanc. Les Ombres avaient été si souvent trompées par leurs désirs qu'elles ne comprirent pas tout de suite l'importance de la chose et crurent qu'il ne s'agissait que d'une hallucination, d'une boîte un peu mieux imitée que d'habitude. Mais on fut stupéfait quand un emballeur connu pour sa vivacité d'esprit déclara en se tournant de tous côtés pour faire face aux incrédules que c'était là du bois blanc, du bois comme sur la Terre.

Alors un peuple immense de tous les temps, de Goths, de chèvres, de loups, et de Wisigoths, de Huns, de Protestants, de rats musqués, de renards et de sarcelles, de Catholiques, de Romains à la tête vaste, de mignons, tous mêlés à des Romantiques et des Classiques, à des pumas, des aigles et des coccinelles, s'entassèrent autour de la boîte qu'ils entouraient d'un silence si formidable qu'elle en craquait*.

---

* La transparence de toutes ces Ombres permettait même aux jeunes enfants de voir, à n'importe quelle place, sans avoir à se mettre sur la pointe des pieds. *(N.d.A.)*

« Ça va changer, quelque chose va changer! C'est que la vie devenait impossible! Puisque c'est là une boîte en véritable bois blanc, est-ce que le soleil ne va pas se mettre à briller tout d'un coup, et remplacer une bonne fois cette misérable lumière qui vient on ne sait d'où, toujours pareille et qui n'est ni du vrai jour ni de la vraie nuit, mais une espèce de saleté dans le ciel. Le ciel d'ici, oui, les oiseaux réussissent parfois à s'y envoler, mais il faut voir comment, essoufflés, ils sont obligés de se poser à tout instant dans le vide, et parfois s'ils insistent, un gros paquet de plumes mortes les abandonne et ils tombent, ils tombent durant l'éternité. »

Nul ne pouvant soulever le couvercle de la boîte, il y en eut plus de cent mille pour demander à monter la garde autour d'elle afin que... ou de peur que... ou parce que... Les hypothèses n'étaient pas vraisemblables, elles se perdaient comme des ruisselets d'éther dans le Sahara du ciel.

« Pas si vite, ne nous laissons pas aller à de folles illusions, disaient ceux qui étaient arrivés à un âge avancé sur terre. Pour une simple boîte et qui est peut-être vide! »

Mais l'espérance allait son train. Une ombre venue on ne savait d'où prétendit que le dimanche suivant (on disait le dimanche mais il y avait parfois de grandes discussions pour savoir si c'était vraiment dimanche), on verrait un vrai taureau et qu'il mangerait de l'herbe devant tout le monde, et qu'on l'entendrait peut-être même mugir vers la fin de la représentation.

— Il paraît que c'est un beau noir, légèrement moucheté de blanc.

— Moi, ce que je voudrais voir, plutôt qu'un taureau, c'est un étalon anglo-arabe qui trotterait devant nous, ne fût-ce que cinq minutes. Après quoi je m'estimerais heureux durant les siècles et les siècles.

— Moi, mon fox, se promenant à la campagne, en Seine-et-Marne, avec moi.

— Ah! avec vous?

Le bruit courut que les Ombres allaient bientôt voir leur corps tel qu'il avait été sur Terre, avec sa couleur d'autrefois, son poids exact.

— Tenez, je suis sûr qu'un de ces quatre matins on pourra me regarder quand j'allais à mon bureau et que je descendais les marches de la station du métro Châtelet.

— Et ce jour-là, pensait un autre, quand je courais et que sans la complaisance du chef de gare qui tarda un peu à siffler, je manquais certainement mon train pour Lisbonne.

On allait pouvoir s'inviter entre amis à s'examiner tel qu'on avait été le jour de son mariage ou bien quand on avait reçu un télégramme annonçant la mort de son père, ou un autre jour.

— Allons donc, vous n'allez pas nous faire croire ça.

— Mais pourquoi pas? J'estime que tout cela est fort possible. Ça ne peut pas être toujours la même chose. Réfléchissez donc un petit peu, voyons.

— Tout ça pour une malheureuse boîte en bois blanc!

— Mais c'est énorme! Pensez donc aux milliards d'Ombres qui ont été privées jusqu'ici de la présence de tout corps dur.

Mais aucun autre miracle ne se produisit et la boîte demeura des semaines et des mois sur la place publique, entourée d'une garde de moins en moins nombreuse. Puis, elle resta toute seule.

A la suite de cette grande espérance déçue, les Ombres commencèrent à s'éviter pour se cacher leur épouvantable découragement. Jamais elles n'avaient eu à souffrir ainsi de leur propre vide. Elles s'en allaient solitaires, et le frère évitait le frère ; le mari, la femme ; l'amie, l'ami.

Charles Delsol ne savait pas depuis combien de temps il était mort et devenu au sens propre l'ombre de lui-même. Il avait perdu de vue Marguerite Desrenaudes quelques jours avant son décès et ignorait si elle était encore vivante. Il se souvenait du jour où il l'avait vue pour la première fois à la bibliothèque de la Sorbonne. Assise en face de lui. Un rapide regard, en coup de pinceau, pour savoir qu'elle était brune. Puis, après un quart d'heure de travail (il faisait de la philosophie), un autre regard pour connaître la vraie couleur de ses yeux. Dix minutes de travail et un dernier regard pour examiner les poignets et les mains de la jeune fille. Et un peu de méditation pour réunir ces divers fragments dans un ensemble vivant.

Tous les jours il s'asseyait en face d'elle et ne lui adressait pas la parole, sa claudication le rendant fort timide. Il partait toujours le premier, et rapidement, malgré tout. Une fois elle se leva pour aller chercher un livre. Elle boitait aussi.

« Maintenant je vais avoir plus de courage », se dit tout d'abord Charles Delsol.

Puis cette idée lui sembla indigne de lui et d'elle.

« Je lui parlerai encore moins qu'avant », pensa-t-il.

Marguerite Desrenaudes était agacée de sentir sur elle le regard de ce muet. Et cet échange de boiteries qu'il avait l'air de lui proposer !

Un jour du mois de mars, comme elle avait ouvert

la fenêtre toute grande, elle entendit le voisin de Delsol lui dire à voix basse :

— Mais si vous avez froid, vous n'avez qu'à demander la permission de fermer la fenêtre. C'est tout naturel, d'autant plus que vous venez d'être malade.

— Oh ! moi, j'étouffe, c'est bien simple, dit-il. Et il n'avait pas bougé.

Il s'était tout de même efforcé de lutter contre le froid et avait commencé par vouloir garder la chaleur encore en son pouvoir, en faisant quelques mouvements presque invisibles, raidissant les muscles de l'épaule ou des jambes ou se frottant la poitrine de la main passée sous son gilet. Mais l'étudiante avait levé sur lui un regard irrité comme s'il l'empêchait de travailler. Alors il s'était tenu tranquille et avait senti la mort même lui tâter les épaules, la poitrine, les jambes et le déclarer de bonne prise. Il n'avait même pas eu la force de se faire du feu en rentrant chez lui. Et il était mort trois jours après.

Après son arrivée là-haut, Charles Delsol s'était mis à poursuivre ses études à la bibliothèque de la Sorbonne, projetée en plein ciel.

Un jour il vit une Ombre assise en face de sa place habituelle et qui lui rappelait tout à fait la silhouette de Desrenaudes.

Il pensa : « C'est la même façon de tenir et d'ouvrir sa serviette avec une certaine brusquerie. Mais qu'est devenu son visage ? Elle porte une petite cape comme à Paris et pas plus que sur terre ne s'inquiète de moi. Mais pourquoi n'ouvre-t-elle plus jamais la fenêtre ? » Il oubliait que tout ce qu'il pensait se voyait dans son âme transparente, et la grise jeune fille, s'avançant, lui dit à la façon silencieuse des morts :

— Dites-moi, monsieur, ce n'est pas parce que je n'ai pas fermé la fenêtre ce jour-là...

— Oh! non, j'ai été écrasé par un taxi.

Et il se détourna pour cacher sa pensée.

Quelques jours plus tard, ils sortaient ensemble de la bibliothèque. Et leurs camarades se disaient :

« Qu'ont-ils donc ces deux-là à marcher comme des amoureux; il faut être boiteux pour avoir des idées pareilles! Comme si cela servait à quelque chose, ici. » Et bien que la très volumineuse serviette[10] de son amie fût plus légère que la plus légère des plumes, Delsol proposait de la lui porter. Et elle riait, mais, lui, parlait très sérieusement.

Enfin, elle voulut bien la lui remettre tout en trouvant la chose un peu ridicule, surtout de la part d'un étudiant mort depuis un certain temps déjà et par conséquent comblé d'expérience.

Mais à peine eut-il pris la serviette qu'il la sentit prendre du poids sous son bras. Et une sorte de bien-être lui montait dans ce qui avait été ses mains. Le corps de Charles Delsol était encore gris, mais d'un gris luisant et presque lumineux, d'un gris rosé et pour ainsi dire rusé. Et il lui sembla que des mains lui naissaient, mais il se hâta de cacher sous ses vêtements d'ombre ces deux choses inquiétantes qui voulaient absolument avoir cinq doigts chacune.

— Je vous trouve étrange, aujourd'hui, pensa Marguerite Desrenaudes. Ne seriez-vous pas souffrant?

— Vous savez bien que c'est impossible.

Et comme il faisait le geste de protester, il sentit une vive douleur à son poignet, et voilà que la serviette s'échappa de ses mains et d'authentiques dictionnaires de Quicherat et de Goelzer[11] en sortirent avec tout leur poids, et leurs feuilles numérotées.

Bouleversée, l'étudiante se mit à battre des cils, de vrais cils de jeune fille de la Terre. Et ses yeux étaient bleus comme autrefois dans le reste du visage encore déserté par la vie. Elle resta immobile comme après un effort surhumain, puis très vite, voici venir le nez, les lèvres, les joues, un peu plus rouges que sur la Terre. Et loin d'être nue, elle était habillée comme une jeune fille de 1919, année de sa mort.

Il faisait un petit froid sec et de belles colonnes de vapeur sortaient du nez du jeune homme et de la jeune fille bien respirante.

Sans même s'inquiéter des quelques Ombres qui se trouvaient près d'eux, ils joignirent longuement leurs lèvres revenues. Puis, mus par des forces nouvelles et joyeuses, ils se dirigèrent vers la place publique où se trouvait la boîte en bois blanc. Nulle peine pour l'ouvrir. Il leur suffit de soulever le couvercle de leurs mains qui n'avaient rien perdu de leur habileté d'autrefois. Ils trouvèrent plusieurs objets leur ayant appartenu sur terre et surtout une carte du ciel, merveilleusement claire et coloriée, qui les invitait d'autant plus au voyage qu'elle devenait vivante et s'emplissait d'exhortations et de conseils à l'endroit où se posait le regard des jeunes gens.

Rani

Bien que seul de son clan il eût été élevé dans une grande ville, on ne l'avait élu cacique [12] que pour sa victoire dans l'épreuve du jeûne. Des concurrents qui, un à un, avaient abandonné la partie, Rani restait seul, le neuvième jour, allongé comme du bois sec, entre des peaux de bœufs.

Dès le début de l'épreuve, le temps avait pris pour lui l'apparence d'une grande horloge à six visages de jeunes filles disposés autour du cadran. C'étaient celles-là mêmes qui, toutes les quatre heures, lui apportaient de l'eau et des feuilles de coca qu'il suçait à peine, maintenant qu'il n'avait plus la force de mâcher. Mais il prolongeait l'épreuve, espérant pouvoir atteindre une fois encore le tour de Yara, sa fiancée. D'un regard elle lui disait : « Courage, il arrivera des choses merveilleuses. »

Aux approches de la nuit il croyait entendre le pas de cavaleries lointaines toujours à la même distance, malgré leurs efforts désespérés pour aller jusqu'à lui. Et les hautes figures du jeûne entraient dans la tente avec leurs corbeilles de phosphore. L'une abaissait doucement les paupières de l'Indien et l'autre les lui relevait. Certaines s'emparaient de son foie, en expri-

maient tout le jus, ou introduisaient avec une minu-
tie de chirurgien des aiguilles de vide dans ses reins.
Puis, toutes se réunissaient en chuchotant pour faire
passer devant les yeux de Rani les faibles passereaux
de la mort.

Dans les premières heures de la dixième nuit il vit,
couché à son chevet, et montrant ses gencives de
sable, le grand dromadaire du dernier sommeil, qui,
vingt fois de suite, tenta de se dresser sur ses pattes
déjà presque désincarnées. Alors, crainte de céder
aux avances des bêtes qui attendent en nous et
autour de nous leur tour de vivre à nos dépens,
l'Indien, du bout de ses lèvres, dont l'une était
blanche et l'autre déjà violette, fit signe qu'il consen-
tait à interrompre le jeûne.

Le nouveau cacique, quelques jours après, alors
qu'il était encore très affaibli, voulut aller au-devant
de Yara, qui se tenait près des feux du clan. Mais le
vertige le fit tomber dans le foyer où il se brûla la
face jusqu'à l'os. Tous baissaient maintenant la tête
et s'écartaient lorsque passait ce visage à demi
consumé et qui semblait flamber encore, tisonné par
quel démon? Rani pensait que Yara se cachait aussi
de lui quand il vit sa fiancée (mais l'était-elle encore)
immobile devant sa tente et qui le regardait fixe-
ment. Sans défense contre un grand espoir il alla
tout de suite chercher une charge de bois et la laissa
rouler de ses épaules aux pieds de la jeune fille, en
signe d'amour. Le bruit peureux et interrogatif des
deux dernières bûches, un peu séparées des autres
dans leur chute, fit honte à l'Indien. Quand il releva
la tête, et les paupières restées intactes, Yara avait
disparu, et il l'entendit pousser des cris d'épouvante
comme si la violait une troupe d'ennemis.

Le lendemain, les six membres du Conseil des

Anciens s'avancèrent vers le Visage Brûlé et lui tour-
nèrent simultanément le dos pour lui annoncer par
leur attitude et leur silence qu'il ne pouvait plus
compter être leur cacique.

Des semaines durant, il se cacha dans la forêt. Il
s'intéressait aux plumes, aux œufs des oiseaux, aux
mousses et aux fougères, à toutes ces choses délicates qui ne s'effrayaient pas de sa présence et ne
changeaient pas de visage devant lui. Œufs imitant
la couleur de l'aurore, plumes du nuage pommelé
qui parcourt le ciel comme un cheval, fougères de la
nuit noire et fraîche où il aurait voulu un instant
reposer son visage de ses malheurs.

L'oiseau mort, les plumes continuent à vivre de
leur seul éclat, sans se laisser entamer par la pourri-
ture. Et, Rani les aimait de ce qu'elles prenaient la
défense de l'orgueil et de l'espoir. Dans leurs minces
tuyaux cornés, dans leur duvet il cherchait des
paroles. Sûr de ne pas être vu, il plaçait devant lui
toute cette légèreté, et des feuilles d'arbres rares, et
des pierres brillantes comme s'il eût fait des réus-
sites. Il se disait parfois : « Oh ! comme c'est ça,
comme c'est justement ce que je cherchais. »

Ou bien, fatigué par cette misère qui croyait
encore à la couleur et à la forme des choses, dans la
grande forêt sans portes ni fenêtres, il considérait le
ciel. Comme un document très ancien et très fragile
et presque impossible à déchiffrer. « Mais j'ai tout le
temps ; qui me presse ? » pensait-il.

Entendait-on là-haut, derrière ces grosses
ténèbres effarées, un petit miaulement, ou le cœur
d'un homme perdu parmi les arbres ? Comment
connaître sa route au ciel où il n'y a plus de droite ni
de gauche, d'avant ni d'après et rien que de la pro-

fondeur. Sans autre guide, sans autre appui que le vertige.

Que se proposait-il de découvrir dans les cailloux de là-haut et de la terre? Qu'est-ce qui lui donnait envie de s'ouvrir le ventre pour aller chercher une réponse jusque dans le secret de son corps?

« Serai-je moins hideux un jour? »

Oui, ce n'était que cette petite chose qu'il aspirait à découvrir et il s'étonnait de ne pas l'avoir compris plus tôt. Comme si ses mains ne l'eussent pas assez renseigné quand il les passait et les repassait sur son visage déchiré.

Et il se mit à aimer les serpents qui dans leurs plis et leurs replis ne comptent plus que sur eux-mêmes et tiennent toujours la mort prête dans leur bouche.

Rani voulut revoir son clan. Caché dans la brousse il savait demeurer invisible, même à l'âme d'autrui, garder pour soi tout ce qui de nos yeux et de notre peau veut s'échapper pour avouer que nous sommes là. Il regardait de son trou noir d'herbes et de terre le foyer allumé pour écarter les fauves et pensait : « C'est Guli-Ya qui a fait le feu aujourd'hui. Je reconnais sa façon de le préparer. Mais que m'importe? »

Voyant ses compagnons aller et venir avant de se coucher pour la nuit :

« Que me voulez-vous, hommes maigres ou gras, mamelles, ventres et pieds dans ce qui fut mon clan? Pourquoi prenez-vous ces formes diverses quand vous n'êtes plus que souvenirs de vomissures? »

Et il volait ses anciens compagnons pour faire des offrandes aux arbres et aux pierres, à tout ce qui n'est pas souillé par l'usage de la parole. Une nuit, le visage entouré de lianes et de feuilles, il pénétra dans la tente de Yara pour lui ravir son miroir. Une autre nuit, ivre de *chicha*[13], il voulut enivrer un arbre qu'il aimait entre tous et finit par lui sacrifier deux doigts de sa main qu'il coupa avec ses dents.

Quand le sang eut fini de couler et que Rani commença à voir plus clair en lui :

« Je n'étais donc pas assez laid jusqu'ici. »

Et il regardait sa main mutilée et la comparait à l'autre qui maintenant lui paraissait très belle. Oubliant la défense qu'il s'était faite d'examiner, sur un miroir, où il en était, il se considéra longuement dans celui de Yara, à la faveur de quelques flammes décisives du foyer. Et il vit que son visage était tel qu'il l'avait laissé naguère dans les yeux épouvantés des hommes de son clan.

Rani ne se nourrissait plus que de racines. Une force étrangère, lente et cruelle s'emparait de lui. D'abord fluide, puis massive, elle prit possession de sa tête et de son corps, pour gagner jusqu'à ses orteils qu'il sentait devenir malfaisants.

C'était pire que le goût du carnage.

Levant sa droite où deux doigts manquaient, le Visage Brûlé vint se placer au milieu du clan et s'écria de sa voix restée claire, entre ses lèvres déchirées :

— Je suis revenu, allez-vous-en.

Autour de lui les Indiens s'immobilisèrent, et celui qui allait abattre un arbre se figea, la hache en l'air. Deux ou trois hommes pensèrent percer le cœur de Rani avec leurs flèches, mais, avant même de viser, leurs bras se vidèrent de toute volonté.

Les femmes et les filles du clan attirées malgré elles, se traînaient vers le Visage Brûlé, s'accrochaient à ses jambes qu'elles griffaient de désir et de

désespoir. L'une qui pilait du maïs à la cuisine, arrivait, son mortier à la main, une autre quittait son
compagnon pour s'avancer, dans un tremblement
que l'on entendait de loin, vers ce visage qui attei-
gnait les plus hautes branches de l'horrible. Tous les
trois ou quatre pas elles s'agrippaient aux troncs
d'arbres ou aux racines pour s'empêcher d'aller,
mais rien n'y faisait. Yara perdue parmi les autres.

L'Indien répéta :

— Allez-vous-en !

Et chacun trouva alors la force de s'enfuir.

Rani restait parmi les tentes, les vivres, les flèches,
tant d'objets qui peu à peu se sentaient changer de
maître. Et parce que tout était bien ainsi le-Serpent-
des-jours-qui-nous-restent-à-vivre,   auprès   de
l'Indien, mille et mille fois solitaire, vint se lover.

*La jeune fille
à la voix de violon*

C'était une jeune fille comme une autre, avec des yeux peut-être un peu trop larges, mais si peu qu'on se demandait si on n'en avait pas vu souvent d'ainsi faits.

Dès l'enfance, elle avait compris, à une sorte d'intrigue autour d'elle, qu'on lui cachait quelque chose. Elle ignorait l'objet de ces chuchotements et ne s'en inquiétait guère, pensant qu'il en était toujours ainsi quand il y avait à la maison une petite fille.

Un jour, comme elle tombait d'un arbre, le cri qu'elle poussa lui apparut dans toute son étrangeté : inhumain et musical. Elle surveilla désormais sa voix et crut y reconnaître, glissant sous les mots de tous les jours, des accents de violon et même un mi bémol ou un fa dièse, ou quelque autre impertinence... Et quand il lui arrivait de parler elle vous regardait avec simplicité comme pour effacer cette impression bizarre.

Un garçon lui dit un jour :

— Fais donc marcher ton violon !

— Je n'en ai pas.

— Là, là, dit-il, en voulant fourrer sa main dans la bouche de l'enfant.

Ce n'était pas une petite chose que d'arriver chez les gens avec une voix de violon, d'être invitée à un thé ou à un déjeuner sur l'herbe et de porter toujours sur soi, dans la gorge, cette voix étrangère, prête à sortir, même quand elle disait : « Merci » ou « Il n'y a pas de quoi ».

Et rien ne l'agaçait tant que si l'on s'écriait :

— Mais quelle voix merveilleuse elle a !

« Qu'est-ce qui se trame en moi-même ? pensait-elle. Ces accords inattendus me révèlent beaucoup trop. Comme si je me mettais à me déshabiller au milieu d'une conversation : "Et puis, voici mon corsage, et prenez aussi mes bas... Vous êtes heureux maintenant, je n'ai plus rien à moi !" »

Parce que rien ne lui plaisait tant que de ne pas se singulariser, elle gardait généralement le silence, et s'habillait avec quelle modestie, quelle neutralité, et toujours un large ruban tout à fait gris autour de sa gorge musicale.

« Après tout, on n'a pas besoin de parler », songeait-elle.

Même quand elle ne disait rien, on ne pouvait oublier que cette voix était là, prête à sortir. Une de ses camarades, à l'oreille fine, prétendait même qu'elle ne se taisait jamais complètement, que son silence cachait mal de sourds accords et même des mélodies assez claires : il suffisait d'un peu d'attention. Et si cela ravit certaines de ses amies, les autres en tirèrent de l'inquiétude, et pour elles-mêmes. Toutes finirent par la délaisser.

« Tout de même, si mon silence n'est plus à moi ! »

Un chirurgien, ami de la famille, fut appelé à examiner cette gorge, ces cordes vocales. Sans doute faudrait-il opérer, mais quoi ?

Il se pencha sur cette bouche ouverte, comme sur un puits hanté et s'abstint d'intervenir.

« S'ils savaient d'où je viens ! » se dit-elle, un jour, en s'asseyant à la salle à manger auprès de ses parents qui lui reprochaient son retard. Ils ne se doutent pas de ce que je viens de faire, ce père à la longue figure, ni toi, mère, moins irritable en apparence, mais qui éclates tout d'un coup, en trois phrases hérissées et venimeuses. Bonnes gens, n'allez-vous pas me laisser tranquille avec ces histoires de potage qui va être tout froid ? Il s'agit bien, aujourd'hui, de quelques minutes de retard ! »

Durant presque tout le repas, elle se tut, mais il fallut bien répondre à une question de son père.

Et les parents de se regarder avec étonnement : la voix de leur fille était devenue une voix comme les autres.

— Répète un peu, dit le père le plus doucement possible, j'ai mal entendu. Mais la jeune fille rougit et ne dit mot.

Après le repas, les parents se réunirent dans leur chambre et le père prit la parole :

— Mais si vraiment elle n'a plus cette voix bizarre, il va falloir en informer la famille. Et peut-être même donner une petite fête entre intimes, sans dire bien entendu la raison de cette réjouissance.

— Attends encore quelques jours.

— Sans doute, il faut au moins attendre huit jours. Soyons prudents.

Le père décida de se faire lire le journal par sa fille, tous les matins. Il savourait les inflexions de cette nouvelle voix comme une gourmandise qui lui serait venue d'un autre monde. N'aimait-il pas aussi le petit vertige qu'il éprouvait à l'idée que sa fille pourrait à nouveau se mettre à parler comme naguère ?

Un jour qu'elle lisait ainsi un long article de politique étrangère, la jeune fille — mais c'était une femme maintenant — s'aperçut à son tour que sa voix ressemblait à celle de ses camarades. Et elle ne put s'empêcher d'en vouloir à son ami qui avait détruit en elle ces accords singuliers :

« S'il m'avait vraiment aimée... », songeait-elle.

— Mais, qu'est-ce que tu as ? Tu es en larmes, dit le père. Si c'est à cause de ta voix, il y aurait plutôt lieu de te réjouir, mon enfant...

Les suites d'une course

Sir Rufus Flox, gentleman-rider[14], pourquoi aviez-vous donné votre nom à votre cheval? Petit homme aux joues rouges de bifteck saignant, qui donc vous avait poussé à vouloir vous retrouver tout entier dans cette longue bête grise qui paraissait à peine toucher terre?

Mais c'est justement parce qu'elle vous ressemblait si peu que vous aviez pensé pouvoir mieux vous l'approprier, vous l'annexer, en lui plantant votre nom comme des banderilles de feu.

Et vous n'étiez pas de ces propriétaires qui n'approchent de leurs chevaux qu'au pesage. Vous n'hésitiez pas, la nuit qui précédait une course, à coucher dans l'écurie, contre votre monture, à lui chuchoter, avant qu'elle ne s'endormît, des conseils précis pour le lendemain, dans le trou velouté de ses très sensibles oreilles.

Quelle joie de ne faire qu'un avec elle sur la piste, aux yeux d'une foule immense, jockey à la casaque grise, d'un gris chevalin parcouru de légers frissons comme la robe même de votre monture.

Le Grand Prix des Amateurs à Auteuil[15], Sir Rufus l'avait couru en tête, de bout en bout, et gagné de six longueurs, puis, la bête, emballée, avait continué à galoper à toute allure descendant le boulevard Exelmans, longeant le viaduc d'Auteuil, dont les enjambées semblaient à peine plus grandes que celles du cheval. Et l'on put voir les deux Sir Rufus se précipiter dans la Seine, où le cavalier sentit son cheval fondre sous lui. Le moment où disparurent même les oreilles! Et le jockey sortit seul sur la berge opposée. Il ne lui restait de la bête — du moins le croyait-il — qu'une poignée de crins à la main, et, à ses éperons, un peu de sang.

Le lendemain, comme le gentleman-rider déjeunait en ville, il fut stupéfait de voir, dans la glace de son taxi, qu'il avait les yeux mêmes de son cheval. Et il perçut une voix en lui :

— Eh bien, tu n'as pas honte d'aller tranquillement déjeuner en ville quand je ne suis plus grâce à toi qu'un cheval crevé au fond de la Seine? Tu m'as lâchement noyé parce que tu ne pouvais me maîtriser.

— Mais enfin, c'est toi qui m'as entraîné dans la Seine.

— Répète un peu pour voir.

— Pourquoi me parles-tu sur ce ton? dit timidement Sir Rufus-homme.

— Par mes grands yeux noirs! je jure que tu te souviendras de moi.

Avant de quitter le taxi, le gentleman-rider s'assura que ses yeux d'homme avaient repris entre ses cils leur place habituelle et, comme ce n'était pas un pleutre, il paya allégrement son chauffeur et sonna chez ses amis. Il faut dire qu'il comptait un peu sur ce déjeuner pour lui changer les idées.

Mais on ne l'avait invité que pour lui parler de la course. A table, trois dames et deux messieurs se penchaient sur lui jusqu'à faire craquer la table.

— Voyons, cher monsieur, dites-nous donc exactement ce qui s'est passé! Les journaux donnent les versions les plus différentes.

— Si vous voulez que nous restions bons amis, ne parlons plus de ça, dit le gentleman-rider. Au surplus, j'ai l'honneur de vous informer que je ne monterai plus jamais en course, ni autrement. Que les chevaux restent donc d'un côté et les hommes de l'autre!

Et il rit, tout à fait rassuré par la glace de la desserte où brillaient de malice ses petits yeux humains.

Ces paroles, et surtout l'accent avec lequel Sir Rufus les avait prononcées, parurent bizarres à tous les convives; on pensa pourtant qu'il n'y avait pas lieu d'insister pour des raisons qu'on n'aurait pu définir, mais qu'on s'accordait à trouver sérieuses. Ainsi parle-t-on d'autre chose chez un malade quand on se trouve en présence d'une forte fièvre dont on ignore la cause.

La fin du déjeuner fut très gaie. On avait complètement oublié le cheval quand, au moment où Sir Rufus remerciait la maîtresse de maison de son excellent accueil, et cela, avec une bonne grâce, un raffinement qui impressionnaient toujours, elle eut une crise de nerfs en voyant, plantée dans le dos de Sir Rufus, la queue gris-noir de sa monture, qui sur le veston faisait un intolérable bruit de crins et s'agitait joyeusement, dans un évident désir de prendre part à la conversation.

Sir Rufus Flox s'enfuit sans prendre congé des invités. Dans la rue, il se retrouva complètement homme. Et cela dura plusieurs jours. Puis, un dimanche, nauséeux et horriblement mélangé, il se sentit inhumain jusque dans son foie et sa rate. Pourtant le grand miroir à trois faces qu'il avait acheté récemment ne lui révéla rien de particulier.

Il sortit pour aller voir sa fiancée, une Américaine ni riche, ni pauvre, qu'il avait fort aimée jusqu'alors. Mais ce jour-là, chaque fois qu'il rencontrait une jument, il ne pouvait s'empêcher de la suivre des yeux, si bien que, renonçant à sa visite, il préféra se rendre dans une grande écurie. Il y avait là de douze à quinze juments. Si la fiancée avait pu être là aussi dans ce bel endroit si propre, assise près de lui sur un tas de paille, comme il lui aurait tenu les mains avec joie au milieu de cette odeur chaude et un peu piquante de l'écurie !

La journée suivante commença mal : au lieu de sonner pour son petit déjeuner, il se mit à hennir la femme de chambre et, quand elle arriva avec le plateau, il lui demanda « un morceau de susucre » en faisant mille grâces et gentillesses, comme eût fait un cheval savant — et cela bien que tout le sucrier fût à sa disposition.

Dans la rue il évitait consciencieusement les trottoirs, prenait un plaisir suspect à glisser entre les autos.

« Que le monde devient donc chevalin, depuis quelque temps ! » pensa-t-il. Il espérait se persuader ainsi que tous les passants lui ressemblaient.

Un énorme désir d'avouer, et à tue-tête, s'empara de Sir Rufus. Il fallait absolument qu'il racontât à sa fiancée tout ce qu'il éprouvait.

— Vous avez envie de devenir cheval ? dit l'Américaine. En voilà une affaire ! Pourquoi vous retenir ? Il ne faut pas contrarier sa nature. C'est cette gêne qui vous rend malade. Devenez cheval une bonne fois, nous n'en irons pas moins nous promener au Bois[16], comme par le passé. Mais je serai en amazone pour parer à tout. Venez que je vous embrasse les naseaux, dit-elle, riant et lui sautant au cou. Et à demain, dans l'allée du Ranelagh.

Comme plus rien ne l'en empêchait maintenant, c'est dans la nuit même que Sir Rufus devint cheval. Un peu avant l'aube, il descendit l'escalier sans faire trop de bruit et, en bas, appuya très joliment la tête sur le bouton de la porte. Mais un cheval, sans selle ni licol, dans la rue, est aussi suspect que le serait un homme tout nu. Et où aller? Il était beaucoup trop tôt pour son rendez-vous. Toute la nuit, comme un malfaiteur, il évita les agents et même les passants, toujours si sots qu'ils n'auraient pu voir un cheval en liberté sans appeler la police.

Il réussit à gagner le Bois où il se disposa à manger de l'herbe. Il y avait longtemps qu'il désirait en connaître le goût. L'occasion était bonne.

« Au fond, je suis bien plus tranquille maintenant, pensait-il. Qu'est-ce que je crains? »

Une fourmi s'approcha de lui et grimpa sur ses jambes.

« Elle ne se gêne pas plus que si j'étais un homme. »

Une biche vint le regarder de tout près.

« Si elle savait! Mais j'aime mieux ne rien lui dire. Et comment se faire comprendre d'une biche quand on n'est même pas sûr d'être un cheval! »

La biche le regardait avec coquetterie, puis elle le renifla. Le prenait-elle pour un cerf? Mais non, elle semblait plutôt se méfier. Les animaux se reniflent-ils entre eux pour bien s'assurer qu'ils n'ont point affaire à un homme?

La biche s'éloigna à reculons.

Enfin l'Américaine parut dans l'allée du Ranelagh et, tout de même, sa surprise fut grande de voir son fiancé devenu un cheval si accompli.

Un garde du Bois passa non loin de là et le cheval se dit: « Allons, il va falloir ruer! »

Mais le garde ne l'avait point aperçu.

Un pauvre homme s'avançait sans chemise sous quelques restes de veston : il tenait une corde sous le bras et cherchait, on le voyait bien, un arbre pour se pendre.

Le cheval hennit dans la direction de la corde pour attirer l'attention de la jeune femme.

— Où allez-vous, brave homme, dit-elle, avec cette corde?

— Est-ce que ça vous regarde? répondit le vagabond, soudain en colère.

— Évidemment non, mais je pensais que peut-être..., dit-elle de sa voix la plus douce.

— Eh bien, vous aviez tort de penser que peut-être... Laissez-moi chercher mon arbre.

— Il ne faut pas faire ça, cher monsieur, dit la jeune femme, pour donner confiance à l'inconnu. Je vous achète votre corde.

— Il faudrait la payer bien cher et vous seriez volée, madame, elle ne porte pas encore bonheur.

L'homme semblait plus misérable que jamais, avec cette espèce de sourire qui essayait maintenant de se glisser dans sa barbe impénétrable.

Quelques instants après, femme, cheval, corde, homme échappé à la pendaison, se dirigeaient vers une écurie de la Porte Dauphine. L'homme tenait le cheval par la corde qui s'était mise à lui réchauffer agréablement la paume de la main.

Sir Rufus n'eut pas de peine à devenir cheval de trait. Il promenait régulièrement sa fiancée et les jours coulaient pour eux avec nonchalance.

— Au Bois, mon ami, lui disait-elle, comme si elle se fût adressée à son cocher. Tu seras gentil de prendre par l'avenue Bugeaud. Il faudra que je

m'arrête chez le teinturier. Je n'en ai pas pour longtemps. Puis nous ferons le tour de Longchamp et tu
rentreras par les Acacias.

Et elle montait en voiture sans s'inquiéter davantage de la route.

Un jour l'Américaine ne fut plus seule dans le til-
bury. Son jeune compagnon avait une façon très
humiliante d'offrir au cheval des bouts de pain tirés
de sa poche et revêtus de grains de tabac.

L'intrus était de toutes les promenades. Fort
occupé à écouter la conversation des jeunes gens, le
cheval en oubliait de lever les pattes de devant. Il
voyait bien, pourtant, que ce jeune homme n'était
qu'un camarade sans importance, qu'on promène au
Bois, et puis c'est tout.

Un jour, dans un tournant, comme Sir Rufus se
jetait maladroitement sur un trottoir, il entendit le
garçon dire avec colère :

— Non, mais a-t-on jamais vu un cocu pareil ! Tu
as raison, nous allons le faire châtrer à la première
occasion. Il en sait beaucoup trop sur nous deux,
avec ses oreilles soupçonneuses qui ne perdent pas
un mot de ce que nous disons.

A ces mots, le cheval renverse un arbuste, lance le
couple contre un platane, et les voilà maintenant, le
garçon, le crâne défoncé, la jeune fille, éparpillée
dans l'herbe à quelques mètres de son ami, qu'elle
désigne, dans la mort, d'un index charmant et
encore amoureux.

Sir Rufus redevenu homme, dans un complet gris,
absolument neuf et semblable à la robe du cheval,
immobile sous le collier et l'attelle de son harnache-
ment, regardait le drame entre les brancards. Il
essaya d'enlever le mors et la gourmette, mais empê-

tré dans les courroies et les guides, ce n'était vraiment pas facile, d'autant plus que ses gestes étaient
encore un peu chevalins et que.

La piste et la mare

Sur la piste, au centre du désert pampéen[17], un homme s'avance seul, à pied, portant deux sacoches en bandoulière et, à la main, une mallette. Malgré l'immensité du paysage qui brouille un peu ses traits, on reconnaît son type oriental et qu'il a dû quitter depuis peu son pays : parfois il tourne la tête, comme suivi. Sa petite pipe volontaire l'entoure d'une intimité ambulante, à l'instable architecture.

On lui a parlé d'une ferme à plusieurs lieues de là et, depuis le matin, il va vers l'horizon sans regard. A ses pieds les innombrables foulées de la route : il reconnaît le passage des moutons, des bœufs, des chevaux, un désert de foulées, un monde immobile et fruit du mouvement, plein d'une torpeur posthume.

Ainsi, de rancho[18] en rancho, voyage-t-il depuis plusieurs jours. La nuit, il couche où il y a de la place pour que s'allonge le corps d'un étranger qui a marché tout le jour. Et quand il ne dort point, les oiseaux chargés de veiller sur le sommeil de la Terre, les chouettes et les hiboux, d'autres encore que nous ignorerons toujours parce qu'ils nichent dans les airs, lui sonnent les heures avec l'assentiment de la Lune.

A la ferme de San Tiburcio où va l'homme, c'est la
tonte des brebis dans un hangar. Les paupières des
bêtes se ferment sous la froide haleine des ciseaux,
qui précipitent leur course le long des ventres lai-
neux, comme s'ils allaient emporter en passant les
mamelles délicates. Une bête renifle sans cesse un
reste de toison que le hasard lui a placé sous le
museau. Tous les yeux des brebis semblent de verre
et interchangeables, comme l'angoisse de leurs corps
sous pression.

Le Turc ambulant continue sa route. Dans les
ténèbres de sa ceinture il est cinq heures à sa montre
de nickel toute chaude du voyage, mais il est bien
plus tard dans son esprit : il se presse, comme s'il
était attendu depuis un moment et qu'on eût déjà
avancé une chaise pour lui, au milieu de la pièce.

La tonte se poursuit dans le hangar de San Tiburcio.

Juan Pecho, cet homme accroupi, à votre gauche,
doit être le patron. Son couteau à la ceinture, sous le
veston soulevé par le travail, est plus long que celui
des péones[19]. Grand, gros, il tond lourdement : une
énorme paresse flâne partout dans son corps, lui fait
des confidences, même quand il feint de travailler.
Installée dès le réveil elle ne le quitte que la nuit,
pour aller faire un tour, quand il s'endort et que
Pecho n'en a vraiment plus besoin. Un bout de
mégot décoloré à sa lèvre inférieure y semble collé
depuis cinq ou six ans.

Il tond mal et distraitement. De temps à autre des
injures s'égarent dans les poils de sa barbe clairse-
mée.

Les brebis qui ont affaire à lui n'oublient pas

l'ombre lourde sur elles de tout ce corps penché, ces taillades et ce souffle de bœuf. Il aimerait mieux les égorger. C'est plus rapide et le sang n'est-il pas la seule distraction de la pampa pour un gaucho fidèle à sa fiancée?

Les premiers abois des chiens viennent loger dans l'oreille du Turc. Jusque-là, pendant des heures, il n'avait été un homme que pour le vent de la pampa, et encore un drôle d'homme puisqu'il allait à pied dans un pays où chacun s'avance à cheval. Juan Pecho et les enfants l'ont vu. On lui donne une patrie, des sentiments, un caractère.

C'est le vendeur de pacotille de qui l'on aime déjà les boîtes. Hommes, femmes, enfants, dans le monde entier, aiment les boîtes. C'est un besoin de la planète; un des lieux où se forme, se cache et ruse la destinée.

L'occasion semble trop bonne à Juan Pecho qui se lève et monte sur son cheval toujours sellé près de lui, non par crainte de faire attendre l'avenir, mais jamais il n'a fait à pied quinze pas de suite.

Roulant une cigarette il se dirige vers l'inconnu.

— *Buenas tardes*[20], voulez-vous voir les marchandises d'un commerçant de passage et à vos ordres? essaya de dire le Turc en espagnol. Je représente pour la République Argentine plusieurs grosses maisons étrangères.

— Vous représentez? dit le fermier dans un mauvais sourire en regardant les sacoches de l'homme.

Le Turc baisse les yeux sur son mensonge. La faim, le grand air l'ont rendu inventif.

— Suivez-moi, dit Pecho tournant bride.

Il se demande s'il va conduire l'étranger près du hangar ou du côté de la cuisine. La présence de sa sœur Florisbela, grave et large à la porte du rancho, le décide.

— Voici un Turc qui va coucher ici. Nous verrons après le dîner ce qu'il apporte, mais d'ici là qu'il ne montre rien.

Puis à voix basse :

— Attention, il a les mains longues.

Le marchand demande de l'eau à Florisbela et disparaît derrière des chardons.

Il revient lavé, brossé, parfumé et s'assoit sur un escabeau face au couchant, non loin de Florisbela qui prend du maté.

Tous deux sont là sans mot dire, intimidés par le soir descendant. Les étoiles étourdies encore par la lumière du jour font les aveugles. Les brebis que les travaux de la tonte ont séparées des agneaux, les cherchent dans les enclos du crépuscule et, de la terre au ciel, ce n'est plus qu'un seul bêlement piqué d'étoiles et de lucioles.

Le Turc commençait à sentir sa fatigue. Une pensée, flèche perdue, par qui lancée ? lui traversa l'esprit. Et il s'assura que son revolver se trouvait dans sa poche. Justement on entendait la voix de Juan Pecho. Il revenait vers le rancho, suivi des trois enfants de Florisbela dont l'aîné, Horacio, avait douze ans, un visage d'homme et boitait durement. Des chiens encadraient le petit groupe.

— Non ! Non ! disait le fermier d'une voix basse à la dérive. Après le dîner seulement ! Le Turc installera ses affaires sur la table et nous aurons tout le temps de regarder.

Florisbela approuva. Le marchand eût voulu faire de même tout de suite, mais, n'entendant pas bien[21] l'espagnol, il ne comprit le sens de cette phrase qu'au bout de quelques secondes après en avoir confronté secrètement les mots dans le fond de son oreille.

Tout le monde entra dans la vaste pièce qui servait de cuisine et de salle à manger.

— Ici, dit Juan Pecho à l'étranger en lui assignant une place dans un coin.

Un à un les huit chiens bâtards de l'estancia[22] vinrent flairer l'intrus et tentèrent de lever leurs pattes de derrière sur ses bagages. Mais il les en empêcha avec des gestes déférents.

Dans le rancho on parlait à voix basse; Florisbela et son vieux père, gaucho, barbu de blanc, à l'air extraordinairement distingué, désiraient permettre au Turc de s'asseoir à la table familiale et les enfants chuchotaient tous : « Oui! oui! oui! oui! »

— Il mangera dans ce coin, sur ses genoux, souffla violemment Juan Pecho.

Et il pensait : « C'est déjà bien beau que je l'aie laissé entrer chez moi, ce *gringo*[23], cet ambulant qui ne tient encore à la terre que par un coup de veine, ce fantôme qui pour se donner de l'importance demande dès son arrivée de l'eau pour faire sa toilette. Et il s'est même lavé les pieds au grand air comme s'il ne fallait pas garder ces choses-là pour soi. »

Juan Pecho avait suivi, du hangar, les mouvements du Turc et vu sa serviette à raies rouges durant qu'il s'essuyait aux derniers rayons du soleil.

La viande cuite, le fermier et les siens s'assirent à table, et dans un coin, le Turc aux pieds propres, osseux et tristes. (Quand le visage est obligé de sourire pour des besoins professionnels, il faut bien que notre humaine tristesse se réfugie quelque part.)

Sous l'odeur de la viande grillée l'étranger convint en lui-même que cette vie nomade lui plaisait et retrouva, en même temps que son nom : Ali ben Salem, l'amour de ses parents et de sa patrie,

d'autres vertus moins précises et l'essentiel de sa biographie.

La fatigue de ses jambes et de ses reins qui allait
s'idéalisant lui tenait compagnie.

A la table présidée par Juan Pecho on voulait
paraître sûr de son toit et du lendemain, à cause du
vagabond. On se servait ostensiblement des four-
chettes parce qu'il n'avait que son couteau et coupait
sa viande au ras des lèvres. De leur place, les enfants
de Florisbela ne cessaient de regarder les mâchoires
du Turc.

Après le dîner, et les cinq minutes de silence qui le
suivirent, Juan Pecho, qui ne voulait pas sembler
pressé, dit enfin :

— Voyons.

Les enfants se hâtèrent d'aller chercher les péones
et bientôt, avec eux, autour des richesses du marchand, se tinrent le vieux père de Florisbela, celle-ci
et Pecho, tous debout, immobiles, sévères comme le
désert.

Sur la table, dans de petites boîtes en carton, un
métal doré, crédule (broches, bracelets, boucles
d'oreilles, porte-bonheur) souriait parallèlement aux
lèvres d'Ali ben Salem et de connivence avec elles. La
concentration minérale des spectateurs, s'humani-
sant enfin, livra passage à quelques gestes.

Cette dorure lentement s'installait en eux, tapissait
leurs âmes. A droite et à gauche furent disposés
toutes sortes d'objets de toilette, de mercerie et par-
fumerie aux couleurs neuves, qui formaient sur la
table une sorte de printemps urbain et accidenté.

— On peut toucher, dit le Turc.

Alors on vit les mains brunes des paysans s'avancer comme des carpes autour d'un morceau de pain.

Juan Pecho ne disait rien encore, bien que de
rapides regards se tournassent souvent vers lui.

Alors que sa barbe faisait plus nonchalamment que jamais le tour de son visage, il ouvrit une boîte enfermant un rasoir mécanique et dans le silence général s'en fit expliquer le maniement. Il pensa qu'il lui importait d'arriver le dimanche suivant, rasé de près, chez Esther Llanos, sa promise.

— Combien ce rasoir?

— Trois petites piastres. C'est comme de la soie.

— Trois piastres! J'en donne une, dit Pecho d'une voix rugueuse.

Plein de douceur, le Turc répétait : « Je ne peux pas, je ne peux pas », à travers cent sourires, se détruisant les uns les autres, et qui sait si sous sa chemise sa poitrine broussailleuse ne faisait pas l'aimable aussi, à sa façon.

Le regard noué au rasoir, le fermier pensait : « Trois piastres, le prix d'un mouton avec sa laine pour ce bout de métal luisant! » Cependant Floris- bela, le vieillard, les péones, achetaient des objets et l'on vit des pièces d'argent changer de poche, à la lumière de la lampe qui ne broncha point.

La muette colère de Juan Pecho commença d'empoisonner l'air.

Les péones s'éloignèrent de la pièce. Assis sur leurs grabats, ils attendirent.

Le Turc emballa ses affaires, sauf le rasoir qu'il sentait lui échapper sous le violent désir du fermier.

Le vieillard qui n'avait dit mot, la femme, les enfants, tous, dans une immobilité mortelle.

— Qu'avez-vous donc à me regarder! éclata le maître.

Un bruit de chaises remuées. Des faces devinrent des dos qui disparurent un à un par la porte ouverte sur la nuit noire.

Il ne reste plus dans la pièce que Juan Pecho, le rasoir et le Turc.

Le créole[24] se demande s'il ne va pas chasser le marchand, mais il lui faudrait donner des raisons ou, tout au moins, assembler des paroles... Il juge plus commode de faire un pas en arrière et de planter son couteau dans la nuque qui se trouve devant lui.

Le Turc tombe la tête en avant, les bras allongés comme pour ne pas se faire de mal en s'effondrant tout d'un coup dans la mort.

Un chien entre, esprit de la nuit, chargé d'une mission ; il hume le corps, constate le décès et sort, écrasant son ombre.

Pecho saisit le rasoir et, ouvrant la mallette, y choisit un savon, puis ferme la porte, éteint la lampe pour effacer les traces de sang.

Dans la pièce voisine, il se rase avec soin, s'étonnant de ce nouveau visage, que le miroir lui façonne comme d'un parent presque oublié qui vient de traverser les mers. De temps à autre il se retourne vers la porte derrière quoi le cadavre prend déjà toutes ses dispositions pour le voyage immobile. Quand il a fini, il approche du corps. Le veston déboutonné laisse voir une large ceinture de cuir neuf. Juan Pecho fronce soudain les sourcils : il est de son devoir d'en examiner le contenu. La boucle défaite, un bruit d'or roule confusément, sonnerie d'un réveil mal étouffé sous des couvertures. Pecho compte sur la table vingt livres sterling. Cette présence lui déplaît fort : il n'a pas tué pour ça, il n'est pas un voleur. Les objets divers qui se trouvent dans le bagage du Turc ne comptent pas : un amusement pour les yeux et les mains, de l'usage externe.

Il ne veut pas de ces pièces, de ces intermédiaires entre le défunt et des inconnus, lesquels commencent peut-être à s'interroger dans la nuit, à bouger dans leur lit, allumer la lampe, regarder l'heure, comprendre que, quelque part dans le monde, se passe quelque chose de grave et qu'il leur faut aller aux nouvelles.

Une idée lui vient : avec cet or il fera une bonne action.

Une à une, il glisse les livres sterling dans la tire-lire de son neveu, l'infirme. L'or purifié coule maintenant du côté des anges.

Il laisse dans la poche du Turc l'argent qui provient des achats de Florisbela et des péones. La conscience délivrée, il regarde les mallettes et les sacoches avec une morne sympathie. Puis il les vide entièrement sur la table, fait plusieurs tas.

« Pour ma très chère sœur Florisbela », écrit-il sur un bout de papier, de sa main maladroite.

« Pour l'espiègle Mariquita. »

« Pour mon petit neveu Juan Albertito. »

« Pour mon père estimé. »

« Pour Juan Pecho. »

Une longue courroie de cuir attachée au cou du Turc et voici Pecho à cheval, traversant la nuit pudique qui s'écarte sur son passage. Il va jeter le corps dans une mare toute proche. Deux canards sauvages s'envolent vers la Croix du Sud.

Il n'a pas oublié la pierre autour du cou attachée. Juan Pecho rentre dans le rancho. Du sommeil, où il plonge aussitôt, ne le font sortir qu'à l'aurore les oiseaux picorant son dernier cauchemar.

Glacé comme s'il avait dormi au fond de l'eau, il regarde le soleil se lever sur la mare et veut se convaincre que le Turc s'y est noyé.

« Alors j'ai partagé entre nous ses affaires plutôt que de les jeter à l'eau où nul n'en aurait profité.

« Et j'ai très bien fait. »

Florisbela avait entendu tomber le corps. Elle jeta sur le sol maculé du rancho un peu de la terre qui avait passé la nuit sous le ciel. Puis, le dos tourné, elle se mit à prier.

Lentement, Juan Pecho s'étonnait de ne pas voir les péones se diriger vers le hangar. Sans même se faire payer le salaire de la tonte, ils étaient partis tous trois avant l'aube.

Quatre jours après, Florisbela s'approcha de son frère et lui dit à l'oreille :

— Il flotte.

L'homme bondit comme s'il lui fallait une seconde fois tuer le Turc.

Le ventre énorme, la tête rejetée en arrière, prétentieux et livide, le Turc flottait.

Une autre pierre plus grosse autour du cou, et surtout un grand coup de couteau dans le ventre à cause des gaz, et l'Oriental repartait pour d'invisibles aventures.

Ce fut en rentrant dans le rancho que Pecho remarqua pour la première fois depuis le crime, que traînaient à terre des brosses à dents, peignes, épingles à cheveux, savons, étoffes, dés à coudre, de la bijouterie et des boîtes de cirage.

— Allez-vous me ramasser tout ça, cria-t-il à ses neveux. Espèces de petits assassins !

— Va voir s'il flotte, dit Horacio à Mariquita.

— C'est à toi.

— J'y suis allé tout à l'heure. Vas-y maintenant.

On avait dû établir un tour de visite à la mare. Huit jours passèrent sans que Ali ben Salem eût fait de nouvelle incursion à la surface du globe.

Le neuvième, deux agents de la police montée se présentaient à la porte du rancho. Calmes et maigres, leur moustache tombante semblait postiche; l'identité de leur mission leur donnait une horrible ressemblance.

— Allons, mon ami, dit le brigadier qui tenait les menottes.

En passant devant la mare dans le break du commissaire, Juan Pecho vit que le Turc n'avait pas flotté. D'où venait alors que la police?... La dénonciation n'émanait certainement pas des péones, trop fiers pour accuser un homme chez qui ils avaient travaillé, ni de Florisbela, ni des autres habitants du rancho.

Et lorsque le commissaire eut demandé au créole si personne n'avait vu commettre le crime, il se souvint tout d'un coup :

— Si, Señor, un chien.

NOTES

Les notes suivantes éclairent les difficultés qu'un bon dictionnaire usuel ne résout pas toujours :

1 *(p. 11).* *Estaminet* : terme du nord de la France désignant un petit café, un bar.

2 *(p. 17).* *Lisse* : terme employé dans la marine : rambarde d'un bateau, garde-fou.

3 *(p. 21).* *Paturons* : nom masculin : partie du pied d'un animal, correspondant à la première phalange.

4 *(p. 22).* *Flageolet* : pipeau, flûte à bec. Instrument traditionnellement attribué aux bergers.

5 *(p. 24).* *La Nativité* : terme désignant la naissance du Christ dans la liturgie chrétienne. En peinture, une « Nativité » est un tableau représentant Jésus peu après sa naissance, dans la crèche, entouré de la Vierge et de Joseph; au second plan, figurent souvent le Bœuf et l'Âne.

6 *(p. 24).* *Enfançon* : petit enfant (archaïsme).

7 *(p. 39).* *Aldébaran* : une étoile dans la constellation du Taureau.

8 *(p. 42).* *La fuite en Égypte* : épisode des Évangiles souvent traité par les peintres (comme la Nativité). Généralement Joseph est représenté à pied, guidant à travers un paysage parfois hostile un âne qui porte l'Enfant Jésus, Marie et leurs bagages.

9 *(p. 45).* *Le Pont Alexandre* : un des ponts de Paris, le pont Alexandre III.

10 *(p. 68).* *Serviette* : cartable.

11 *(p. 68).* *Quicherat et Goelzer* : auteurs de dictionnaires latins du XIXᵉ siècle.

12 *(p. 73).* *Cacique* : mot du langage des Indiens d'Amérique désignant le chef d'un peuple, d'un clan, d'une tribu.

13 *(p. 77)*. *Chicha* : alcool fait avec des grains de maïs fermentés.

14 *(p. 87)*. *Gentleman-rider* : terme venant de l'anglais « to ride » (monter à cheval), désignant un homme d'un rang social élevé dont le principal loisir est l'équitation et les courses de chevaux.

15 *(p. 87)*. *Auteuil* : grand hippodrome, situé à Paris, entre le bois de Boulogne et la Seine.

16 *(p. 90)*. *Au Bois* : désigne par ellipse le bois de Boulogne, à l'ouest de Paris, lieu de promenade fréquenté au xixe et au début du xxe siècle par la noblesse et la haute bourgeoisie.

L'allée du Ranelagh, la Porte Dauphine, l'avenue Bugeaud, l'hippodrome de Longchamp et l'allée des Acacias se trouvent dans le bois de Boulogne ou y conduisent.

17 *(p. 97)*. *Désert pampéen* : synonyme du nom pampa.

18 *(p. 97)*. *Rancho* : forme espagnole du mot « ranch ».

19 *(p. 98)*. *Péones* : mot espagnol : paysans pauvres en Amérique du Sud.

20 *(p. 99)*. *Buenas tardes* : bonsoir.

21 *(p. 100)*. *N'entendant pas bien* : ne comprenant pas bien.

22 *(p. 101)*. *Estancia* : grande propriété agricole d'Amérique du Sud ; ferme entourée de terres très étendues consacrées à l'élevage.

23 *(p. 101)*. *Gringo* : étranger.

24 *(p. 104)*. *Le créole* : Il s'agit de Juan Pecho. Il est né en Amérique mais il est de race blanche alors que les « péones » sont indiens ou métis.

DOSSIER

par Maria-Nina Barbier

Ce dossier pédagogique s'adresse à la classe tout entière, professeur et élèves. Ce n'est pas un commentaire continu et dogmatique du texte étudié, mais une alternance, distinguée typographiquement, entre informations, analyses (en caractères maigres), et incitations à la réflexion, questions (en caractères gras), à traiter par écrit ou par oral, individuellement ou en classe. Dans les deux sections principales — « Aspects du récit » et « Thématique » — l'analyse proposée laisse progressivement plus de place à l'initiative et à la recherche du lecteur (pistes pour l'étude et la recherche).

Pour faciliter l'élaboration des exposés oraux ou la rédaction des travaux écrits (cf. la dernière section « Divers »), on trouvera en marge le repère suivant :

 qui renvoie aux sujets concernant les thèmes du passage.

1. CONTEXTES

Repères chronologiques ▪ Un écrivain entre deux continents ▪ Genèse.

Le recueil intitulé *L'enfant de la haute mer* emprunte son titre au premier des huit contes qu'il rassemble. Il a été publié en 1931. Jules Supervielle, âgé de quarante-sept ans, avait alors toute une vie derrière lui...

Bien que le conte soit a priori un genre moins propice aux confidences personnelles que la poésie (l'autre genre de prédilection de Supervielle), de nombreux échos de la vie, de la personnalité, de la culture de l'auteur sont cependant perceptibles dans ce recueil.

Si les contes de Supervielle nous emmènent dans un étrange univers, sa biographie n'est pas commune non plus : pour éclairer certains aspects de *L'enfant de la haute mer*, il est donc intéressant d'évoquer les grandes étapes de l'existence de l'écrivain, en insistant sur son enfance et sa jeunesse.

Repères chronologiques

1884 Première année de vie de Jules Supervielle, marquée par des événements exceptionnels ou tragiques :

16 janvier, naissance à Montevideo en Uruguay. Ses parents ont émigré en Amérique latine pour fonder une banque avec un autre jeune couple (le frère de son père et la sœur de sa mère). Voilà pourquoi ce petit Français naît « au bout du monde ».

Septembre, premier grand voyage en mer de l'enfant, âgé de huit mois. Les deux couples et leurs enfants traversent l'Atlantique pour venir rendre visite à la famille restée en France à Oloron-Sainte-Marie, dans les Pyrénées.

Novembre, mort accidentelle de sa mère, puis, une semaine plus tard, de son père.

1885-1886 L'orphelin est d'abord élevé par sa grand-mère maternelle, en France. Puis il est adopté par son oncle Supervielle, de Montevideo, qui le remmène en Uruguay.

1886-1893 Enfance en Uruguay, chez son oncle et sa tante. Le futur écrivain grandit dans une « estancia » (grande propriété terrienne au milieu de la « pampa »). Il entend parler aussi bien espagnol par le personnel, que français par sa famille ; la culture de son pays d'origine lui est aussi familière que les mœurs et les légendes locales.

Jusqu'à l'âge de neuf ans, il ignore tout du drame qui s'est produit quand il était bébé : il croit que son oncle et sa tante sont ses parents. Apprenant la vérité par hasard, il sera désormais avide de photographies, de souvenirs permettant de fixer un peu l'image de ses « vrais parents ».

1894 Retour en France pour les études secondaires. Supervielle est élève dans un lycée parisien et retourne en Uruguay aux grandes vacances.

Entre les deux pays, son cœur balance...

1899 Premiers poèmes.

1900 Premier recueil publié : *Brumes du passé*.

1902 Baccalauréat.

1902-1906 Pour le jeune homme, période d'expériences et de choix.

Il connaît des problèmes de santé, décide de ne pas faire carrière dans la banque familiale ; il hésite entre plusieurs voies : droit, sciences politiques, langues... et continue d'écrire des poèmes.

Par ailleurs, il choisit de se fixer définitivement en France, même s'il reste fortement attaché à l'Uruguay, où il fera, le plus souvent possible, des séjours.

1906 Licence d'espagnol.

1907 Mariage avec Pilar Saavedra, jeune fille originaire de Montevideo.

Le couple voyage en Amérique (héritier de la banque Supervielle, le jeune homme a une certaine aisance matérielle).

1908 Naissance du premier de leurs six enfants.

1914 Mobilisé, Supervielle travaille pour le contrôle postal.

1918-1938 Après la guerre, il s'installe avec les siens à Paris où il connaît une vie stable, heureuse, ponctuée par les naissances de ses enfants. Il se lie d'amitié avec des écrivains, notamment Henri Michaux.

Dans les années vingt et trente, il va se consacrer à l'écriture : *Poèmes de l'humour triste* (1919); *Débarcadères* (poèmes, 1922); *L'homme de la pampa* (roman, 1923); *Gravitations* (poèmes, 1925); *Le voleur d'enfants* (roman, 1926); *La piste et la mare, L'enfant de la haute mer, Les boiteux du ciel* (trois contes, 1927-1929); *Le forçat innocent* (poèmes, 1930); *L'enfant de la haute mer* (recueil de contes, 1931); *Bolivar* (pièce, 1936); *L'arche de Noé* (contes, 1938); *La fable du monde* (poèmes, 1938).

1939 La Seconde Guerre mondiale éclate alors que Supervielle est en voyage en Uruguay. Il y restera six ans, pendant lesquels il écrira notamment : *Poèmes de la France malheureuse* (1941).

1946 Retour à Paris. Supervielle est ruiné, la banque n'a pas survécu à la guerre. Il devient attaché culturel de l'Uruguay en France.

1946-1960 Vieillesse heureuse. Bien que ses problèmes de santé s'accentuent, Supervielle écrit toujours (des poèmes surtout, notamment le recueil *Oublieuse mémoire* en 1955), et voit son œuvre couronnée par de nombreuses récompenses : prix des Critiques, prix de l'Académie française, prix international de Poésie.

1960   Jules Supervielle meurt à Paris. Il est enterré à Oloron-Sainte-Marie.

Un écrivain entre deux continents

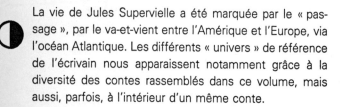

La vie de Jules Supervielle a été marquée par le « passage », par le va-et-vient entre l'Amérique et l'Europe, via l'océan Atlantique. Les différents « univers » de référence de l'écrivain nous apparaissent notamment grâce à la diversité des contes rassemblés dans ce volume, mais aussi, parfois, à l'intérieur d'un même conte.

L'Amérique

Les **racines américaines** de Supervielle se retrouvent dans deux des huit contes du recueil : *Rani*, situé chez les Indiens d'Amazonie, et *La piste et la mare*, qui a pour cadre le « désert pampéen » d'Argentine.

Dans ces deux contes, la couleur locale est créée par le lexique. Dès la première page de *Rani* (p. 73) apparaissent des termes connotant la civilisation amérindienne, tels que « cacique » ou « feuille de coca ».

■ **Continuer ce repérage dans *Rani*.**

■ **Chercher comment est créée l'ambiance latino-américaine dans *La piste et la mare*, en distinguant les différents moyens utilisés (noms propres, mots espagnols...). Comment le narrateur attire-t-il l'attention sur certains termes ?**

L'Europe

Dans les six autres contes, les références sont plutôt françaises, ou du moins européennes.

● D'une part, l'**atmosphère européenne** de ces contes tient notamment aux lieux et aux milieux évoqués.

Ainsi, le village flottant de *L'enfant de la haute mer* ressemble beaucoup à un bourg du nord de la France au début du XXe siècle.

Dans *Les boiteux du ciel*, l'histoire de Charles Delsol (à partir de la page 66) se passe au début du siècle dans le milieu des étudiants en lettres parisiens.

■ **Définir le cadre de *La jeune fille à la voix de violon* et des *Suites d'une course* en prenant appui sur quelques détails précis.**

● D'autre part, ces contes sont baignés de la **culture européenne** dans laquelle Supervielle a été élevé.

Parfois, il s'agit d'un « clin d'œil » assez rapide : ainsi dans *Les boiteux du ciel*, une Ombre joue brillamment la *Toccata et Fugue* de J.S. Bach (p. 62), et se révèle d'ailleurs être Bach lui-même. Dans ce même conte, le terme « Ombres », utilisé pour désigner les Morts, évoque un texte très célèbre de l'imaginaire européen : l'*Odyssée*. (Au chant X, en effet, Ulysse se rend au pays des Morts, et rencontre des « Ombres ».)

Mais c'est dans le *Bœuf et l'âne* que les **références culturelles** sont particulièrement importantes :

◗ Références aux Évangiles, bien sûr.

■ **Rechercher les passages des Évangiles racontant la naissance du Christ : Évangile selon Matthieu, 1 et 2, Évangile** selon Luc, 2. Les comparer avec *Le bœuf et l'âne de la crèche* : quels éléments de l'histoire Supervielle a-t-il retenus ? En quoi a-t-il « brodé » à partir du « canevas » offert par le texte biblique ?

▶ Mais aussi, références aux peintres du Moyen Âge et de la Renaissance, qui ont souvent représenté la Nativité, en introduisant notamment les « personnages » du bœuf et de l'âne. Le narrateur souligne d'ailleurs explicitement les correspondances entre ce conte et l'univers pictural, lorsqu'il compare malicieusement les attitudes du bœuf et de l'âne avec celles que prendraient les « modèles » d'un artiste (p. 24).

■ Chercher dans des livres d'art des reproductions de tableaux représentant la Nativité, l'Adoration des bergers, l'Adoration des mages, la Fuite en Égypte. Quelle est la place de chacun des personnages ? Observer en particulier celles du bœuf et de l'âne, dans différents tableaux.

■ Retrouver dans les tableaux les éléments plastiques évoqués dans le conte : anges (p. 22), soleils (p. 22), nimbes (p. 24), auréole, (p. 24), étoile des rois mages (p. 30), couronnes des rois mages (p. 31).

L'océan Atlantique

Lors de ses allées et venues entre les deux continents, Supervielle a passé beaucoup de temps sur l'**Océan**. Au début du siècle, on allait d'Europe en Amérique à bord de grands et lents paquebots... L'écrivain a beaucoup regardé l'eau — jusqu'à en être hypnotisé —, a beaucoup médité, beaucoup rêvé. Ainsi, lorsqu'on lui demandait si d'autres auteurs avaient influencé son imagination, son écriture, il répondait : « Mon embarras serait grand s'il me fallait dire si je dois davantage à Homère ou à la ligne de transatlantiques faisant le service entre Bordeaux et Montevideo. »

- ■ **Deux des contes du recueil ont des liens évidents avec la fascination de Supervielle pour l'Océan... Lesquels ?**
- ■ **Dans ces deux contes, Supervielle a imaginé deux formes de « vie océane » assez différentes. Les définir.**

Genèse

Le présent volume n'a pas été conçu initialement par Supervielle sous la forme que nous connaissons. Chacun des huit contes a d'abord été écrit isolément, avant que l'écrivain ne décide de les rassembler, et de les publier en recueil en 1931.

L'élaboration de l'œuvre s'étale donc, en fait, sur une période d'environ six ans.

● *L'enfant de la haute mer*

Ce conte donnant son titre à l'ensemble est non seulement le plus célèbre, mais aussi **le plus ancien** du recueil. Ce « doyen » a toutefois connu plusieurs états :

❯ À l'origine, il a été ce que l'auteur lui-même appelait joliment une « idée en mer » (*Entretiens avec Robert Mallet*, 1956), c'est-à-dire une rêverie née au cours d'une de ses longues traversées de l'Atlantique.

❯ À cette « idée en mer », Supervielle a donné tout d'abord une **forme poétique** : c'est le poème « Le village sur les flots » du recueil *Gravitations* (1925) :

Vagues se dressant pour construire,
Et qui retombent sans pouvoir
Donner forme à leur vieil espoir
Sous l'eau qui d'elles se retire,

Je frôlais un jour un village
Naufragé au fil de vos eaux
Qui venaient humer d'âge en âge
Les maisons de face et de dos,

Village sans rue ni clocher,
Sans drapeau, ni linge à sécher,
Et tout entier si plein de songe
Que l'on eût dit le front d'une ombre.

Des maisons à queue de poisson
Formaient ce village-sirène
Où le lierre et le liseron
S'épuisaient en volutes vaines

Parfois une étoile inquiète
Violente au grand jour approchait
Et plus violente s'en allait
Dans sa chevelure défaite.

Un écolier taché d'embruns
Portant sous le bras un cartable
Jetait un regard outrebrun
Sur les hautes vagues de fable,

Un enfant de l'éternité,
Cher aux solitudes célestes
Plein d'écume et de vérité
Un clair enfant long et modeste,

Dans ce village sans tombeaux,
Sans ramages ni pâturages
Donnant de tous côtés sur l'eau,
Village où l'âme faisait rage,

Et qui ramassé sur la mer,
Attendait une grande voile
Pour voguer enfin vers la terre
Où fument de calmes villages.

■ **Comparer le poème et le conte : quels sont les éléments du conte déjà présents dans le poème ? Quels sont ceux qui ont été modifiés ?**

■ **Débat en classe (ou réflexion personnelle). Préférez-vous l'« idée en mer » de Supervielle sous sa forme poétique, ou sous sa forme narrative ? Quel est selon vous le texte le plus explicite ? Le plus mystérieux ? Le plus émouvant ?**

▶ Ensuite, l'« idée en mer » est devenue un **récit**, d'abord appelé « **mythe** » par l'auteur, sous le titre de *L'enfant de la haute mer*, publié en 1928 à Buenos Aires, en compagnie des *Boiteux du ciel* (qui figurera aussi par la suite dans notre recueil), et d'une autre histoire : *La sirène 825* (à l'origine, un épisode du roman *L'homme de la pampa*, transformé par Supervielle en court récit autonome).

Le petit recueil ainsi constitué (l'*Enfant*, les *Boiteux, et La sirène 825*) s'appelait *Trois mythes*.

■ Lire l'épisode de *L'homme de la pampa* mettant en scène le personnage de la Sirène 825 (Gallimard, *L'imaginaire*, p. 88 à 102) : aurait-il pu figurer dans notre recueil ? Justifier en prenant appui sur l'imaginaire, la tonalité, l'écriture...

▶ Enfin, en 1931, *L'enfant de la haute mer*, sous sa forme définitive, est devenu le conte ouvrant le recueil.

Toutefois, sa célébrité — Supervielle lui-même lui portait une « tendresse particulière » (*Nouvelles littéraires*, 1955), et le considérait comme « peut-être [son] meilleur conte » (*Entretiens avec R. Mallet, 1956*) — lui a valu de connaître une vie indépendante, c'est-à-dire d'être édité séparément, à l'intention du public enfantin notamment, et d'inspirer divers illustrateurs.

● *La piste et la mare*

Également assez ancien, ce conte a d'abord connu une édition séparée en 1927.

● *Le bœuf et l'âne de la crèche*

Ce conte a été composé à partir d'une idée de Jean Grenier, un ami écrivain de Supervielle, qui voulait constituer une collection à thème pour les enfants : *La vie des bêtes illustres*, en faisant appel à plusieurs auteurs. Le projet collectif n'a pas abouti, mais le conte de Supervielle *Le bœuf et l'âne de la crèche* est resté, et a même connu une « descendance » puisque, par la suite, l'écrivain continuera dans la même veine (animaux célèbres et inspiration chrétienne) dans le recueil intitulé *L'arche de Noé* (1938).

● *L'Inconnue de la Seine, Rani, La jeune fille à la voix de violon, Les suites d'une course*

Ces quatre contes ont paru pour la première fois dans le recueil de 1931.

Beaucoup plus tard, en 1955, Supervielle adaptera pour le théâtre *Les suites d'une course*, qui sera jouée, sous forme de « mimo-farce », par la troupe de Jean-Louis Barrault.

● Le recueil de contes *L'enfant de la haute mer* se caractérise donc par sa **diversité**. Il rassemble des textes

▶ écrits à des époques différentes

▶ nés de circonstances différentes (inspiration personnelle lentement mûrie pour *L'enfant de la haute mer*, « commande » pour *Le bœuf et l'âne de la crèche*, par exemple)

▶ situés dans des cadres différents (le recueil fait en effet cohabiter des lieux aussi dissemblables que la pampa argentine, le seizième arrondissement de Paris, la Judée, la « haute mer », le ciel..., et des époques aussi diverses que le début de l'ère chrétienne, le XXe siècle, ou un univers « hors du temps » !)

▶ composés dans des tonalités différentes (le ton cocasse, burlesque des *Suites d'une course*, par exemple, contraste avec la rêveuse tristesse de *L'enfant de la haute mer* ou de *L'Inconnue de la Seine*).

■ **Observer la table des matières, p. 109 : que peut-on dire de l'organisation, de l'ordre choisis pour les huit contes du recueil ? En définir le principe.**

● Pourtant, une volonté : celle de l'auteur, a présidé à l'assemblage des huit récits.

Comment la narration, l'écriture, donnent-elles une **unité** à un ensemble en apparence disparate ? C'est ce qu'examinera notamment la partie « Aspects du récit ».

Des échos ou des similitudes apparaissent aussi au niveau de l'imaginaire. Des fils, discrètement tissés, se tendent d'un conte à l'autre : cette dimension apparaîtra dans la partie « Thématique » de ce dossier.

2. ASPECTS DU RÉCIT

Le récit bref ▪ **Le conte** ▪ **Le fantastique** ▪ **L'écriture**

Pour étudier l'art du récit dans le recueil *L'enfant de la haute mer*, il convient d'être attentif à la spécificité des textes rassemblés, à leur **genre narratif.**

Le récit bref

Supervielle a opté ici pour le **récit bref**, par opposition au récit « long » ou **roman**, genre narratif qu'il a pratiqué aussi, par exemple dans *L'homme de la pampa* ou dans *Le voleur d'enfants.*

En effet, dans ce recueil, la majorité des contes occupent dix pages environ : *L'enfant de la haute mer, L'Inconnue de la Seine, Les boiteux du ciel, La piste et la mare.* D'autres sont encore plus courts : *Les suites d'une course* (huit pages), *Rani* (six pages), et surtout *La jeune fille à la voix de violon* (quatre pages !). *Le bœuf et l'âne de la crèche*, avec ses vingt-deux pages, fait figure d'exception.

> *En choisissant le **récit bref**, Supervielle s'inscrit dans une tradition littéraire française qui s'est développée parallèlement à celle du roman. Elle est apparue à la Renaissance (avec par exemple les récits de* L'Heptaméron *de Marguerite de Navarre); elle s'est confirmée à l'époque classique (avec notamment les* Contes de Perrault *ou les*

Fables *de La Fontaine, au* XVIIe *siècle, puis avec*
Voltaire au XVIIIe *siècle) ; elle a enfin connu un essor*
spectaculaire au XIXe *siècle (avec des auteurs tels que*
Flaubert, Maupassant, Villiers de L'Isle-Adam...).

Les contes du recueil présentent donc certaines caracté-
ristiques du **récit bref**.

L'entrée dans la fiction

Dans un récit, on appelle **fiction** *ce que raconte*
l'histoire, et **narration** *la manière dont l'histoire*
est racontée.
Le cadre dans lequel se déroule l'histoire, les person-
nages, les actions et les événements sont donc des
composantes de la **fiction.**

● Pour faire **entrer dans la fiction** son lecteur, l'auteur
de romans peut jouer sur la longueur du récit, prendre le
temps d'installer un cadre, de créer une ambiance, de présenter les personnages en faisant d'eux un portrait
détaillé ou en leur donnant un passé, de préparer
l'intrigue... L'auteur de récits brefs, lui, ne peut s'offrir un
tel luxe et est confronté à un défi : en quelques pages,
voire en quelques lignes, il doit faire **exister** un lieu, une
époque, des personnages, une intrigue. Tout en étant
économe de ses mots, il doit fournir au lecteur assez de
matériel pour que celui-ci puisse « croire » à l'histoire, et
mettre en marche sa propre imagination.

◗ Ainsi, dans *La piste et la mare*, c'est en donnant quelques rapides indications sur les deux **personnages** princi-

paux : le Turc et Juan Pecho, que le narrateur suggère ce qu'ils sont.

Dès le premier paragraphe du récit, p. 97, le lecteur peut s'imaginer le Turc comme errant, solitaire et vulnérable, c'est-à-dire comme le type même de l'« étranger ». Le narrateur a notamment choisi de le présenter en mouvement.

■ **Chercher dans les trois premiers paragraphes un champ lexical plaçant le personnage du Turc sous le signe du mouvement, de l'errance.**

En opposition, Juan Pecho est immédiatement défini comme le propriétaire terrien par excellence.

■ **Relever les termes plaçant Juan Pecho sous le signe de l'enracinement, de la possession (p. 98 et 99). Observer en particulier en quoi sa caractérisation contraste avec celle du « Turc ambulant ».**

▶ De même, le **décor**, l'atmosphère, sont caractérisés au cours des trois premières pages grâce à quelques expressions seulement.

■ **Les relever. Préciser ce qu'elles connotent. Quelle image de la pampa argentine donnent-elles au lecteur ?**

Cette courte mais suggestive exposition crée pour le lecteur un « **horizon d'attente** ».

■ **Quelle action le lecteur peut-il attendre après la lecture des trois premières pages de *La piste et la mare* ? Le dénouement du récit sera-t-il conforme à cette attente ?**

▶ Pour faciliter l'**entrée dans la fiction** du lecteur, d'autres récits utilisent le même procédé (une présentation minimale mais évocatrice du cadre et des personnages).

■ **Dans *Les suites d'une course*, étudier l'étape d'exposi-**

tion, et définir l'horizon d'attente qu'elle crée pour le lecteur.

● Mais, pour gagner en brièveté, l'auteur de récits courts a une autre possibilité : supprimer l'étape de présentation (ou la réduire à sa plus simple expression), et faire entrer de plain-pied le lecteur **dans l'action**.

▶ C'est ce que fait le narrateur du *Bœuf et l'âne de la crèche* (p. 21). Il ne donne aucun élément descriptif concernant le cadre ou les personnages. Dès le début, il **raconte** le voyage, l'arrivée, l'installation dans l'étable.

■ **Pourquoi n'est-il pas nécessaire, pour créer un horizon d'attente, de définir ce que sont Bethléem, Joseph, la Vierge, l'âne, le bœuf ? Préciser la situation particulière dans laquelle se trouve le lecteur de ce conte ?**

▶ Un autre récit du recueil commence également sans exposition, c'est *L'Inconnue de la Seine*. En effet, lorsque le récit s'ouvre l'action est déjà nettement entamée, puisque l'héroïne, noyée, est en train de descendre le fleuve (p. 45).

Il n'y a donc pas eu d'exposition, et la seule indication que le narrateur donne à propos du personnage est vraiment minimale : « cette noyée de dix-neuf ans ». Le lecteur n'en saura pas davantage !

■ **Dans ce cas précis, pourquoi le narrateur a-t-il opté pour une présentation aussi réduite ? Réfléchir notamment au titre du conte.**

La conduite du récit

Une fois que le lecteur est entré dans la fiction, le narrateur va se consacrer au récit proprement dit en étant toujours soumis à la même contrainte : la brièveté. En peu de mots, il doit **construire une histoire** suffisamment cohérente et surprenante pour captiver le lecteur.

● Pour étudier cet aspect, on peut utiliser le **schéma narratif**, en l'appliquant à une histoire particulièrement courte : *La jeune fille à la voix de violon.*

> *Le **schéma narratif** permet de montrer la succession des étapes qui constituent un récit. On distingue généralement : la situation initiale/ un événement perturbateur/ l'action/ un événement rééquilibrant/ la situation finale.*

Dans *La jeune fille à la voix de violon*, les indicateurs de temps (soulignés dans le tableau suivant) marquent chaque étape :

« C'était une jeune fille comme une autre [...] une petite fille. » (p. 81)	= situation initiale	L'héroïne mène une vie ordinaire, sereine (malgré quelques petits signes de marginalité).
« Un jour, comme elle tombait d'un arbre, le cri	= événement modificateur	Un incident lui fait prendre conscience de sa différence.

qu'elle poussa lui apparut dans toute son étrangeté : inhumain et musical » (p. 81)		
« Elle surveilla <u>désormais</u> sa voix [...] s'abstint d'intervenir. » (p. 81-82)	= action	Elle apprend à vivre avec sa « voix de violon » : ses relations sociales, notamment, sont difficiles.
« "S'ils savaient d'où je viens", se dit-elle, <u>un jour</u>, [...] parler comme naguère ? » (p. 83)	= événement rééquilibrant	Première expérience sexuelle (implicitement évoquée par le narrateur). La jeune fille perd sa « voix de violon ».
« <u>Un jour</u> qu'elle lisait [...] te réjouir, mon enfant... » (p. 84)	= situation finale	Elle est devenue « normale », mais avec amertume.

Les six pages de ce récit offrent donc un **schéma narratif** complet, et, de plus, assez riche : l'histoire est en effet construite sur le principe de la symétrie, puisque la situation initiale de l'héroïne (« anormalité » assez bien acceptée) s'oppose à sa situation finale (normalité décevante).

■ Établir le schéma narratif de *Rani* : les indicateurs de temps peuvent aider à repérer l'événement perturbateur et l'action ; en revanche, le passage à l'événement rééquilibrant et à la situation finale n'est pas aussi nettement signalé. Commenter la construction de cette histoire.

■ Établir le schéma narratif de *L'enfant de la haute mer*, un peu plus complexe : dans ce récit, la situation initiale est particulièrement longue. Bien repérer l'événement modificateur, qui intervient tardivement. Réfléchir à l'effet de sens produit par ce déséquilibre. (Attention : ne pas tenir compte pour cette recherche du dernier paragraphe du conte, p. 17-18, qui n'appartient pas au type narratif.)

Les points de vue

Pour « accrocher » le lecteur malgré la brièveté de ses récits, Supervielle joue aussi sur le choix des **points de vue narratifs**.

> *Dans un récit, les événements de la fiction peuvent être racontés selon différents **points de vue** :*
> *— focalisation **externe** (le narrateur reste à l'extérieur des personnages ; il exprime leurs actes et leurs paroles, mais pas leurs pensées).*
> *— focalisation **interne** (le narrateur raconte l'histoire en adoptant le point de vue d'un personnage, dont il exprime les pensées).*

> — *focalisation zéro (le narrateur connaît les pensées, les actions de tous les personnages : il est omniscient).*

● Dans les récits dont le titre renvoie à un personnage (*L'enfant de la haute mer*, *L'Inconnue de la Seine*, *Rani*, *La jeune fille à la voix de violon*), c'est le **point de vue de ce personnage** qu'adopte le narrateur. Le lecteur suit les étapes du schéma narratif à travers le regard de ce personnage, connaît ses sensations, ses sentiments, ses pensées.

Ainsi, l'histoire de *La jeune fille à la voix de violon* est racontée en grande partie en **focalisation interne**. Le lecteur va prendre conscience de l'étrangeté de l'héroïne en même temps qu'elle, et vivre avec elle les difficultés entraînées par sa voix.

Dans ce conte, on peut d'ailleurs remarquer que le narrateur nous fait entrer dans le monde intérieur du personnage de façon très progressive :

— p. 81, premier paragraphe : courte présentation ; la jeune fille est vue de l'extérieur.

— p. 81, deuxième et troisième paragraphes : ses sentiments et ses pensées sont rapportés par le narrateur sous une forme encore indirecte, par l'intermédiaire des verbes de perception ou de sentiment.

— p. 82 : le narrateur utilise le **discours indirect libre** ; le lecteur entre plus souplement dans les pensées de l'héroïne : « Ce n'était pas une petite chose » [...] « cette voix étrangère... »

— au bas de la page 82, enfin, on entre directement dans le **monologue intérieur** de la jeune fille grâce au **discours direct**.

■ Relever les verbes de perception ou de sentiment de la p. 81.

■ Dans *Le bœuf et l'âne de la crèche* ou *L'Inconnue de la Seine*, repérer les procédés employés au service de la focalisation interne : comment le narrateur nous fait-il connaître le point de vue du bœuf, ou de l'Inconnue ?

● Si la focalisation interne est souvent utilisée dans le recueil (pour rendre les récits plus vivants, plus proches du lecteur), elle n'est évidemment pas le seul type de point de vue narratif employé par Supervielle, fidèle à son principe de variété. Le narrateur peut en effet devenir parfois **omniscient**, adopter la **focalisation zéro**, lorsque cela peut enrichir notre approche de l'histoire et des personnages.

Si l'on reprend l'exemple de *La jeune fille à la voix de violon*, on constate qu'à la fin du récit (p. 83) la **focalisation interne** subit une « entorse » : le narrateur cesse momentanément d'adopter le seul point de vue de l'héroïne, et se glisse dans les pensées d'un autre personnage.

■ Identifier ce personnage et préciser les procédés utilisés pour introduire son point de vue. Qu'apporte à l'histoire ce changement de focalisation ?

■ Faire le même travail d'observation et de réflexion pour les dernières pages de *L'enfant de la haute mer* : que fait le narrateur à partir du passage du cargo (p. 16) ? Qu'apporte ce choix à l'histoire ?

● Il peut arriver enfin — exception confirmant la règle ! — que la **focalisation interne** ne soit employée qu'à petite dose : c'est le cas d'un conte au titre d'ailleurs plus « collectif » que les autres : *Les boiteux du ciel*.

■ **Étudier dans *Les boiteux du ciel* les différents points de vue adoptés par le narrateur (p. 59 à 66, p. 66 à 69, p. 69). Commenter l'organisation de cette histoire (en fonction des différents types de focalisation).**

Le conte

On a coutume de distinguer dans la littérature française deux sortes de récits brefs : le **conte** et la **nouvelle**. La frontière entre ces deux « sous-genres » n'est pas toujours bien nette.

Certains auteurs emploient indifféremment l'un ou l'autre terme pour désigner leurs histoires courtes. Mais pour Supervielle, les récits qui composent *L'enfant de la haute mer* sont, sans ambiguïté, des **contes**. Il a toujours utilisé ce terme pour les désigner.

Il convient donc de les lire en tant que tels, en étant attentif à cette spécificité. On peut notamment essayer de la cerner en réfléchissant aux **différences** entre **conte** et **nouvelle**.

■ **Recherche collective en classe : indépendamment de *L'enfant de la haute mer*, citer des titres de récits que l'on associe spontanément au mot « conte ». Quelles attentes l'emploi de ce terme suscite-t-il chez le lecteur ?**

Relations de l'histoire avec la réalité

● Dans une **nouvelle**, les **composantes de la fiction** (cadre, actions, événements) sont assez proches de ce que l'on pourrait rencontrer dans la réalité. (Exemple : les nouvelles de Maupassant.)

Dans un **conte**, au contraire, cadre et actions peuvent s'écarter (plus ou moins selon les auteurs) des lois de la réalité et de la vraisemblance. Les lieux où se déroulent *L'enfant de la haute mer* ou *Les boiteux du ciel*, les événements qui se produisent dans *La jeune fille à la voix de violon* ou dans *Les suites d'une course*, situent sans aucun doute l'univers du recueil du côté de l'imaginaire.

● Dans une **nouvelle**, les **personnages** sont conçus par l'auteur de telle sorte qu'ils ressemblent à des êtres réels. Ils sont dotés d'un « état civil », d'un milieu social bien défini, d'une psychologie assez élaborée, et, si la longueur de la nouvelle le permet, d'un aspect physique, grâce à un portrait.

Dans un **conte**, en revanche, les personnages sont souvent dépourvus d'un véritable nom ; ils ont souvent un surnom, tiré de leur principale (et parfois unique) caractéristique physique : Blanche-Neige, le Petit Poucet ; de leur trait moral le plus saillant : l'Ingénu, Candide ; ou même du lieu où ils vivent : la Belle au Bois dormant, la sorcière de la rue Mouffetard...

■ **Certains personnages du recueil illustrent bien ce critère : les identifier. Commenter notamment la désignation des personnages de *L'Inconnue de la Seine*.**

De plus, ils se différencient des personnages de nouvelles par leur statut social à part (extrême misère, comme le héros du *Chat botté* au début, ou rang princier, comme le même personnage à la fin du conte), ainsi que par leur psychologie assez sommaire (ils sont souvent divisés en « bons » et « méchants »).

■ En ce qui concerne ces derniers critères, les personnages de Supervielle sont-ils toujours des héros de contes typiques? Dans quels milieux sociaux évoluent-ils? Sont-ils présentés de façon manichéenne (moralement tout blancs ou tout noirs)? Observer en particulier les personnages de *La piste et la mare* et des *Suites d'une course*.

Conditions de réception

● Une **nouvelle** s'adresse presque toujours à un **public adulte**, en raison notamment de son aspect plus réaliste, l'imaginaire étant traditionnellement considéré comme réservé aux enfants.

Le mot **conte** connote donc la destination à un **public enfantin**, ou du moins capable de retrouver momentanément son âme d'enfant... Ainsi, le premier conte du recueil, *L'enfant de la haute mer*, souvent proposé aux très jeunes lecteurs, partage avec une célèbre bande dessinée belge le privilège de pouvoir être lu par « tous les enfants de sept à soixante-dix-sept ans ».

■ Quels sont les autres titres du recueil que l'on peut proposer à un public enfantin? Pour quelles raisons?

● Enfin, une **nouvelle** est faite pour être **lue** (dans un recueil, dans un magazine...).

Le **conte**, lui, est fait, à l'origine, pour être **dit** et **écouté**. Bien que des auteurs comme Perrault, au XVIIe siècle, puis Grimm, aient donné à des contes populaires célèbres une forme écrite, il existe encore des pratiques qui attestent de la dimension **orale** du conte. Cette dimension apparaît par exemple lorsque l'on « dit » un conte à un enfant ne sachant pas encore lire, ou lorsqu'un

« conteur », lors d'une veillée, interprète un conte folklorique dans les régions où l'on a gardé ou ressuscité ce type de traditions orales.

Supervielle a gardé des traces de l'**oralité** originelle du genre dans les contes de ce recueil. En effet, dans certains, il arrive que le narrateur intervienne, se manifeste, comme s'il s'adressait à un auditoire. Au début de *L'enfant de la haute mer* en particulier, (p. 9 à 10), le narrateur s'adresse au lecteur par une longue série de questions : « Comment s'était formée cette rue flottante ? », etc. De plus, l'emploi des adjectifs et pronoms démonstratifs (cette rue, ce clocher, ceci, cela, cette enfant...) suggère le geste d'un conteur nous « montrant » le village flottant, comme pour mieux nous persuader de son existence. Puis la présence du narrateur devient plus nette encore, grâce à l'emploi des pronoms personnels de la première personne :

— le *nous*, le plus souvent, conférant aux interventions du conteur une certaine solennité (p. 9).

— le *je*, le temps d'une remarque poétique et malicieuse concernant la petite fille : « quelques taches de douceur, je veux dire de rousseur » (p. 10).

■ **Continuer à observer les marques de la personne dans *L'enfant de la haute mer*. Un « vous » apparaît p. 10 : qui désigne-t-il ? Un autre « vous » apparaît p. 17 : est-ce le même ? Comment le narrateur intervient-il dans le récit ?**

■ **Étudier les traces de la présence du narrateur dans *Les suites d'une course* (au début et à la fin du conte en particulier).**

Le fantastique

Pour achever d'étudier l'art du conteur, dans le recueil *L'enfant de la haute mer*, il faut définir la **tonalité** des contes.

Vue d'ensemble

On a vu que, selon l'usage du conte, le narrateur ne cherche pas à imiter la réalité. Quelle place exacte accorde-t-il au surnaturel ? La **tonalité** des contes de Supervielle est-elle **étrange, fantastique, merveilleuse** ?

> *Le récit **étrange** : les événements racontés sont insolites, mais peuvent cependant être expliqués de façon rationnelle. Exemple : la plupart des* Histoires *d'E.A. Poe.*
>
> *Le récit **merveilleux** : les événements racontés ne peuvent s'expliquer rationnellement (métamorphoses, apparitions surnaturelles...) ; le cadre n'est pas réaliste (royaume imaginaire, etc.) ; même les personnages peuvent être irréels (fantômes, lutins, enchanteurs...). Exemple : les contes de fées.*
>
> *Le récit **fantastique** : deux définitions sont possibles.*
>
> *1. Des événements surnaturels font irruption dans un cadre « réel ».*
>
> *2. Les événements de la fiction suscitent le doute chez les personnages et chez les lecteurs qui hésitent entre une explication rationnelle (exemple : le héros, victime d'une hallucination ou d'un cauchemar, a cru voir un fantôme) et une explication surnaturelle (le héros a vu un fantôme).*

> *Les deux définitions insistent sur la situation du fantastique, à la frontière du réel et de l'irréel.*

● À la première lecture de l'ensemble du recueil, on est frappé par le mélange d'éléments merveilleux (par exemple un village flottant, une jeune fille à la voix de violon, un homme changé en cheval...), et d'éléments réalistes (les livres de classe de l'*Enfant*, p. 13, les activités bourgeoises de la *Jeune fille*, p. 82, les noms des rues et de lieux parisiens dans *Les suites d'une course*, p. 92-93).
■ **Continuer cet inventaire.**

L'univers de Supervielle semble bien se situer **entre réel et irréel**, dans la tonalité **fantastique.** Supervielle lui-même affirmait dans *En songeant à un art poétique* (1951) : « Je n'aime l'étrange que s'il est acclimaté, amené à la température humaine. » (Supervielle employait le nom « étrange » au sens de « surnaturel ».)

Formes du fantastique

● On trouve d'abord dans le recueil **un fantastique assez traditionnel.**

❱ Dans *La piste et la mare*, le récit commence en effet de façon très réaliste; le cadre argentin est nettement défini; le lexique espagnol, les références aux mœurs, aux rapports sociaux entre propriétaire, péones et gringos (par exemple dans le récit du repas et de la veillée p. 101-103), constituent autant d'**effets de réel.** Le meurtre du Turc par Juan Pecho pourrait appartenir au récit policier ou au « réalisme psychologique ».

❱ Le surnaturel fait irruption une première fois juste

après le meurtre : « Un chien entre [...] écrasant son ombre » (p. 104). Le lecteur peut hésiter : le chien est-il vraiment un esprit, une créature surnaturelle, ou bien le terme n'est-il qu'une métaphore ? Le chien réapparaît au dénouement : « Et lorsque le commissaire [...] — Si, Señor, un chien » (p. 107). Le chien était donc bien un « esprit » justicier, « chargé d'une mission ». C'est du moins pour cette explication surnaturelle qu'opte le héros. Mais le lecteur peut encore hésiter, et voir dans cette réponse la simple expression de la mauvaise conscience de Juan Pecho.

■ *Les suites d'une course* illustre aussi cette forme traditionnelle de récit fantastique :

■ Relever quelques effets de réel dans la présentation du cadre et du héros (p. 87).

■ Dans la partie du récit située entre la disparition du cheval (p. 88), et la métamorphose de Sir Rufus (p. 91), relever les manifestations successives (et progressives) du surnaturel.

■ Jusqu'où le narrateur nous laisse-t-il hésiter entre explication rationnelle (Sir Rufus *s'imagine* qu'il devient un peu cheval), et l'explication surnaturelle (Sir Rufus est *vraiment* en train de subir une transformation) ?

● **Deuxième** forme possible : Supervielle **inverse** le schéma traditionnel : il établit d'abord une tonalité merveilleuse, puis y mêle des éléments réalistes.

Par exemple, les premières lignes du *Bœuf et l'âne de la crèche* (p. 21) définissent une tonalité — le merveilleux chrétien — renforcée par un élément typique des légendes : le bœuf possède la faculté de penser. Mais déjà, le merveilleux est *amené à la température humaine*, comme dit Supervielle, avec l'évocation familière des qualités de bricoleur de Joseph : « notre maître [...] tordre le droit ».

■ **Continuer la recherche des références à une réalité quotidienne, familière dans** *Le bœuf...* **Selon vous, nuisent-elles au merveilleux, ou bien le mettent-elles en valeur ?**

■ **Dans** *La jeune fille à la voix de violon*, **montrer en quoi Supervielle crée aussi un récit fantastique inversé (irruption du réel dans l'irréel).**

● Une **troisième** forme apparaît dans *Les boiteux du ciel* et dans *L'Inconnue de la Seine*.

Comme dans les exemples précédents, le narrateur commence le conte dans une tonalité merveilleuse « acclimatée » : les personnages sont tout à fait surnaturels ; ils appartiennent à des peuples de fantômes (« Ombres » dans *Les boiteux du ciel*, « Ruisselants » dans *L'Inconnue de la Seine*), et se meuvent dans un espace irréel (le ciel ou un monde sous-marin phosphorescent) ; mais ils éprouvent des sentiments humains, et obéissent à des règles sociales assez proches de celles qui existent dans la réalité... Leur monde est donc à la fois insolite et familier.

Or, dans ces deux récits, le personnage principal va provoquer un événement surprenant, en rupture avec les normes de son univers.

Dans *Les boiteux du ciel*, le héros, Charles Delsol, en voulant porter un objet sans poids (le cartable de celle qu'il aime), transgresse son statut d'« Ombre », et déclenche toute une série d'événements qui amènent la

Vie au royaume des Morts. On peut dire que, dans ce conte, le fantastique consiste en l'irruption, dans un cadre merveilleux, d'un événement **encore plus merveilleux** !

■ **Étudier ainsi la fin de l'*Inconnue*.**

● Enfin, un conte du recueil appelle une étude particulière, tant le jeu avec le réel et l'irréel y est **original :** c'est *L'enfant de la haute mer*.

▶ On y rencontre encore un « merveilleux acclimaté » : le village est à la fois irréel, avec sa « rue flottante », et réel, avec ses « maisons de briques », ses « humbles boutiques », son « école communale », etc. Mais, à la différence des autres récits, cet univers est présenté d'emblée comme une anomalie, ou du moins un mystère. Les questions qui ouvrent le récit (p. 9) placent le lecteur en face d'une **énigme.** La description des activités de la fillette, par la suite, apporte quelques indices (exemple : le « nœud de crêpe noir », signe de deuil, p. 11) mais pas trop : plaisir du conte oblige !

■ **Chercher les autres indices semés au fil de l'histoire par le narrateur (plus facilement perceptibles à la relecture).**

▶ L'épisode de la vague essayant, en vain, d'aider l'enfant à mourir (p. 16 et 17), permet au lecteur de soupçonner la véritable nature de l'enfant, mais rien n'est encore dit explicitement.

Ce n'est qu'aux dernières lignes (p. 18) que le narrateur dévoile l'identité de l'enfant, « être [...] qui ne peut pas vivre ni mourir », morte ressuscitée par le souvenir de son père marin. Le conte bascule alors nettement dans le merveilleux pur, mais, pendant la quasi-totalité du récit, c'est la forme **énigmatique** qui a prévalu.

L'écriture

Écrivain entre deux continents, composant des contes entre réel et irréel, Supervielle a aussi une écriture caractérisée par le balancement :

Entre gravité et légèreté

● Les thèmes abordés dans le recueil ne sont ni gais ni frivoles : les personnages sont presque tous confrontés au doute, à la solitude, à la mort... Pourtant, Supervielle ne s'appesantit jamais sur la **souffrance** de ses héros, mais l'exprime de façon légère, pudique, grâce à de **discrets traits d'humour**.

❯ Dans *Le bœuf et l'âne de la crèche*, le bœuf souffre de son apparence, qui le sépare de l'Enfant Jésus (p. 22-23) : « Il pensait à ses cornes et ruminait : "C'est vraiment très pénible [...] l'air menaçant." »

■ **Quels sont les différents sens du verbe « ruminer » ? Préciser le procédé utilisé par Supervielle et l'effet produit.**

■ **Autre exemple dans le même conte : l'anxiété du bœuf (p. 28) suscite un autre trait d'humour du narrateur : le retrouver, et le commenter.**

❯ Dans *L'enfant de la haute mer* (p. 13-14), le narrateur, pour suggérer sans apitoiement le besoin de communication inassouvi de la fillette, a imaginé un moyen qui, tout en faisant un peu sourire le lecteur, symbolise bien la solitude.

■ **Le repérer, et le commenter :**

❯ Enfin, le dénouement de *La jeune fille à la voix de violon* illustre un autre aspect de l'**humour triste** de Supervielle : le désarroi de l'héroïne est contrebalancé par la réplique de son père (p. 84) : « "S'il m'avait vraiment aimée" [...] te réjouir, mon enfant... ». Le narrateur joue à la fois sur la légèreté (le quiproquo est un procédé comique), et sur la gravité (il illustre le statut d'éternelle incomprise de la jeune fille).

■ **Étudier** *Les boiteux du ciel* **dans cette optique, en cherchant et en analysant des exemples de « gravité-légèreté ».**

Entre prose et poésie

Lorsque Supervielle se fait conteur, il garde son âme de poète. Pour lui, le **langage** n'est pas seulement un moyen, au service de l'histoire à raconter ; il est aussi **une fin en soi**, un « objet magique » dont il faut exploiter toutes les ressources...

Comme dans un poème, les mots peuvent être utilisés pour leur **pouvoir de suggestion,** pour leur capacité à nous faire entrevoir une autre réalité (ce qui d'ailleurs s'accorde bien avec la tonalité fantastique des contes).

● Le poète-conteur a notamment recours aux **images** :

❱ Dans *L'enfant de la haute mer*, par exemple, une série de comparaisons permet de visualiser la tentative de la vague pour aider la fillette à mourir : « N'arrivant pas à ses fins [...] des flocons aussi gros que des œufs d'autruche » (p. 17).

❱ Dans *Le bœuf et l'âne de la crèche*, c'est encore une comparaison qui suggère la spiritualité émanant du visage de l'Enfant Jésus : « Le bœuf qui se sentait [...] dans une très petite et lointaine demeure » (p. 29).

■ **Dans** *Rani,* **étudier les métaphores (identifier le comparé et commenter le choix du comparant) : « le grand dromadaire du dernier sommeil » (p. 74), « les bêtes qui attendent en** nous… » (p. 74), « le Serpent-des-jours-qui-nous-restent-à-vivre » (p. 78), etc.

● Le goût du poète pour le jeu avec les mots se manifeste aussi, par exemple, dans le rapprochement de **paronymes** : « Elle avait […] quelques taches de douceur, je veux dire de rousseur » (*L'enfant de la haute mer*, p. 10), « Le corps de Charles Delsol était encore gris […], mais d'un gris rosé et pour ainsi dire rusé » (*Les boiteux du ciel*, p. 68).

■ Ces jeux sur le langage sont-ils gratuits ? Sinon, qu'apportent-ils aux contes ?

■ Chercher d'autres procédés poétiques (en feuilletant le recueil, ou à l'occasion de la lecture méthodique d'un court passage). Réfléchir aux effets de sens produits.

3. THÉMATIQUE

Jeunes filles ▪ Bestiaire ▪ Quêtes ▪ Éléments

Jeunes filles

Un personnage récurrent

● Malgré la diversité des contes du recueil, un type de personnage apparaît à plusieurs reprises, au premier plan dans trois des récits (*L'enfant de la haute mer, l'Inconnue de la Seine, La jeune fille à la voix de violon*), au second plan dans les autres : la **jeune fille**.

▶ L'enfant de la haute mer a douze ans, l'Inconnue de la Seine a dix-neuf ans. On a vu que, en tant que conteur, Supervielle était peu attaché aux détails d'« état civil » ; le fait qu'il attribue un âge précis à ses héroïnes est donc important. La jeune fille à la voix de violon, elle, n'a pas d'âge ; mais le personnage est toujours désigné par le groupe nominal « la jeune fille » ; de plus, les événements de la fiction la situent nettement dans l'adolescence (elle vit chez ses parents et connaît une première expérience amoureuse).

▶ Outre ces trois **héroïnes**, on rencontre des **jeunes filles « secondaires »** :

— Marguerite Desrenaudes, étudiante en lettres aimée par Charles Delsol, le héros des *Boiteux du ciel*.

— Yara, jeune Indienne fiancée à Rani.

— « une Américaine ni riche, ni pauvre » fiancée à Sir Rufus Flox, le héros des *Suites d'une course*, moins net-

tement caractérisée que les autres, toutefois, car Supervielle l'appelle tantôt « jeune femme » tantôt « jeune
fille ».

— En jouant un peu sur les mots, on peut enfin ajouter
à cette liste une jeune fille assez particulière : la Vierge,
dans *Le Bœuf et l'âne de la crèche*.

Valeurs symboliques

● Entre l'enfant et la femme, la jeune fille est associée à
l'idée de transition, de **passage**. Et cette situation **entre
deux âges** est présentée par le narrateur comme un phé-
nomène fascinant...

❱ Dans *La jeune fille à la voix de violon*, ce thème est particulièrement apparent. L'état de jeune fille, en effet, est
symbolisé par la « voix de violon », mystérieuse et trou-
blante : étant enfant, l'héroïne n'avait pas conscience de
sa voix (p. 81) ; en devenant « femme », elle la perd, en
même temps que sa virginité, et éprouve une grande nos-
talgie (p. 84). En franchissant la frontière qui sépare l'adolescence de l'âge adulte, l'héroïne a été dépouillée de sa
« singularité » : elle s'est banalisée.

■ **Avant que ce passage soit accompli, (p. 81-82), quelles
sont les réactions de la jeune fille et des autres personnages à l'égard de cette « singularité » représentée par la
« voix de violon » ? Étudier en particulier les images utili-
sées.**

■ **Que ressentent notamment les hommes adultes (le « chirurgien ami de la famille », en bas de la p. 82, puis le père, au
bas de la p. 83) à l'égard de la jeune fille ? Étudier aussi les
images.**

❱ Dans d'autres contes, l'état de jeune fille est mis en

valeur parce que, au lieu d'être provisoire, comme le veulent les lois de la nature, il est devenu définitif, à cause d'une intervention surnaturelle. Les héroïnes de ces contes sont d'**éternelles jeunes filles**, elles ne seront jamais femmes.

La Vierge, dans *Le bœuf et l'âne de la crèche*, est une variante heureuse de l'éternelle jeune fille, miraculeusement vierge et mère à la fois, comme le montrent les questions que se pose le bœuf, par exemple : « Comment se fait-il que la Vierge si belle et si légère cachait ce bel enfançon ? » (p. 24).

Le statut de l'Enfant de la haute mer et de l'Inconnue de la Seine, en revanche, est plus ambigu : il est perçu comme fascinant, mais aussi comme malheureux.

■ **Rappeler l'origine de ce statut. (Pourquoi les deux héroïnes ont-elles à tout jamais respectivement douze et dix-neuf ans ?)**

■ **Relire les passages des deux contes évoquant ce temps figé (*L'enfant de la haute mer*, p. 15. *L'Inconnue de la Seine*, p. 49). Étudier le lexique, les images.**

● Comme si elles devaient préserver le mystère de leur situation entre deux âges, les jeunes filles de Supervielle sont presque toujours caractérisées par une extrême **pudeur.** Le narrateur leur attribue l'angoisse du dévoilement.

Ainsi, un monologue intérieur de *La jeune fille à la voix de violon* exprime cette crainte : « "Qu'est-ce qui se trame en moi-même ? [...] 'je n'ai plus rien à moi !'" » (p. 82).

Ce motif apparaît (discrètement) dans *Les boiteux du ciel* (p. 69), et, avec insistance, dans *L'Inconnue de la Seine*.

■ **Repérer les passages du conte évoquant la robe de l'Inconnue. Comment le narrateur explique-t-il l'attachement de l'héroïne pour son vêtement? Étudier aussi les réactions des autres personnages.**

● Enfin, les adolescentes du recueil ont aussi pour qualité une extrême **exigence**, à l'égard d'elles-mêmes d'abord. L'Inconnue, par exemple, ne se satisfait pas du simulacre de vie réservé aux Ruisselants.

■ **Comment se manifeste son goût de l'absolu? Réfléchir notamment à la représentation spatiale de son désir : où habitent les Ruisselants? Qu'est-ce qui attire la jeune fille?**

■ **Chercher des exemples concernant les héroïnes des autres contes.**

Elles manifestent aussi cette exigence à l'égard des autres personnages. Lorsque la jeune fille est un personnage secondaire, elle a souvent pour fonction de pousser le héros masculin à se dépasser. Cette influence peut être dangereuse : dans *Les boiteux du ciel*, Marguerite Desrenaudes provoque — involontairement — la mort de Charles Delsol, qui s'expose au froid par amour pour elle (p. 67); elle peut aussi être bénéfique : dans le même conte, Marguerite, devenue Ombre, suscite — involontairement encore — un geste d'amour du jeune homme, qui aura des conséquences merveilleuses (p. 68-69).

■ **Étudier la fonction de Yara, par rapport au héros, dans *Rani*.**

■ **Étudier la fonction de la fiancée de Sir Rufus Flox dans *Les suites d'une course*.**

Bestiaire

Les personnages du recueil incarnent aussi un autre thème cher à Supervielle : la **proximité** qui existe **entre l'être humain et les autres espèces vivantes.** Dans son œuvre poétique, Supervielle a souvent exprimé sa sympathie pour les chevaux, les vaches, les chiens... Il s'est souvent demandé s'ils étaient profondément différents de nous, malgré leur silence. Plusieurs contes mettent ainsi en situation la limite incertaine entre l'homme et l'animal.

● Parfois, Supervielle imagine simplement un rapport de voisinage, de familiarité ou de **compagnonnage**, entre ses personnages humains et des animaux. Ainsi, les Ruisselants, noyés évoluant dans les profondeurs sous-marines, sont en relation avec les poissons.

■ Relire les p. 48 et 49, puis les p. 54 et 55 : comment le narrateur présente-t-il les liens entre Ruisselants et poissons ? Entre l'Inconnue et « ses poissons favoris » ? Qu'apporte au conte l'évocation de ces animaux ?

■ Étudier aussi l'épisode du *Bœuf et l'âne de la crèche* (p. 33 à 38) où les animaux viennent rendre visite à l'Enfant Jésus. À quels épisodes inspirés des Évangiles celui-ci, imaginé par Supervielle, succède-t-il ? Quel effet de sens cette « adoration des bêtes » produit-elle ?

● Supervielle ébranle davantage la différenciation habituelle entre l'homme et la bête lorsque, profitant des libertés avec la réalité que le genre du conte permet de prendre, il **humanise un animal.**

On pourrait penser que cette démarche n'est guère ori-

ginale, et que Supervielle suit les traces de La Fontaine...
Or, en observant en particulier *Le bœuf et l'âne de la
crèche*, on voit que Supervielle ne s'est pas contenté de
plaquer sur des animaux des comportements humains,
mais qu'il **mélange** des qualités humaines — la faculté de
penser, la sensibilité, la capacité à jouer d'un instrument
de musique — et des qualités animales : le silence,
l'humilité.

■ **Dans les premières pages de ce conte, quelles questions le
bœuf se pose-t-il ? Quels sentiments éprouve-t-il ?**

■ **Pour éviter de réduire ce personnage à « un animal qui
parle » trop anecdotique, quel mode de communication
Supervielle a-t-il imaginé entre le bœuf et l'âne ? entre le
bœuf et les humains ?**

Dans le cas du bœuf, le résultat de ce « brouillage » des
limites ordinairement admises est que le bœuf, ni tout à
fait animal ni tout à fait humain, **dépasse** ces catégories,
et devient, dans les dernières pages du conte, un grand
mystique, une sorte de saint (sans auréole..., cf. p. 24).

■ **De la p. 38 à la p. 42, repérer les expressions, les images, et
les événements de la fiction, qui assimilent le bœuf à un
saint.**

■ **Deux autres animaux (aux apparitions plus furtives) sont
également humanisés, et même situés au-delà de l'humain,
par le narrateur, dans *La piste et la mare*, et dans *Les
suites d'une course*. Retrouver leurs interventions. Comment Supervielle évite-t-il, dans ces deux cas, les pièges
de l'anthropocentrisme ?**

● Enfin, le conteur peut transgresser les limites entre

humain et animal en jouant sur le thème de la **métamorphose**, en **animalisant un homme**. C'est ce qu'il fait dans *Les suites d'une course*.

Dans ce conte, à l'inverse de la démarche précédemment étudiée (qui consistait à faire apparaître l'humanité des animaux), Supervielle met en lumière l'animalité des hommes. Les mésaventures du cavalier changé en cheval résultent en effet de sa trop grande proximité avec sa monture : « Sir Rufus Flox, gentleman-rider, pourquoi aviez-vous donné votre nom à votre cheval ? » (p. 87) Le narrateur suggère ainsi que l'animalité du personnage, qui se manifeste ouvertement grâce à la métamorphose, existait déjà chez lui à l'état latent.

■ Relever, dans ce conte, les signes d'animalité imaginés par le conteur lorsque débute la métamorphose, et une fois celle-ci accomplie. Faire attention en particulier au domaine de la sexualité, puisque la dernière page du conte suggère que le cheval qu'est devenu Sir Rufus est un étalon...

■ Pourquoi Supervielle a-t-il donné une tonalité comique à cette histoire ?

Quêtes

Comme tous les personnages de contes, les héros de Supervielle poursuivent des **quêtes**; leurs actions sont dirigées vers un objectif... Ces quêtes font apparaître des thèmes propres à Supervielle, différents selon que les héros appartiennent au monde des vivants ou à celui des morts.

Quête des vivants : comment vivre et aimer en étant « différent » ?

● Chacun des personnages « vivants » imaginés par Supervielle a en lui quelque chose qui le rend **différent** des autres, et qui entraîne pour lui des difficultés.

❱ Il peut s'agir d'une « disgrâce » physique :

— Comment vivre avec un « visage brûlé » ? se demande Rani, après avoir été repoussé par le clan dont il était le cacique (cf. p. 76 : « "Serai-je moins hideux **un jour**?" »).

— Comment aimer quand on est boiteux ? se demandent Charles Delsol et Marguerite Desrenaudes dans l'épisode des *Boiteux du ciel* précédant leur mort (p. 66-67).

— Comment aimer quand on a des cornes menaçantes ? se demande le bœuf, avec une question très proche de celle de Rani : « Est-ce que je ne pourrai pas **un jour** ne plus ressembler à un petit rocher qui s'avance ? » (p. 31).

— Comment vivre avec une « voix de violon » ? se demande la jeune fille...

— Comment vivre dans la peau d'un cheval ? se demande Sir Rufus Flox...

❱ Il peut s'agir d'une tare morale :

— Comment vivre quand on est un assassin ? se demande Juan Pecho dans *La piste et la mare* (à partir de la p. 104).

■ Étudier ce thème dans *Le bœuf et l'âne de la crèche*, où il est particulièrement développé grâce à la longueur du conte et grâce au point de vue privilégié du bœuf. Dans ses monologues intérieurs (p. 23, p. 38, et surtout dans la « Prière du Bœuf », p. 31-32), en quels termes l'animal évoque-t-il son apparence ? En quoi consiste exactement sa « quête » ?

■ La différence fait du héros à la fois un être singulier, exceptionnel, et un être qui souffre... Quels sont les personnages du recueil qui illustrent le mieux cette ambivalence ?

● Pour ces personnages **différents**, le déroulement de l'histoire va apporter deux grands types de solutions.

▶ Le personnage peut tout à coup devenir ou redevenir « normal », pour des raisons indépendantes de sa volonté. Sa quête est alors terminée. Mais il n'est pas heureux pour autant...

■ Identifier les contes dans lesquels la quête des personnages s'achève ainsi.

■ Comment le narrateur suggère-t-il que la perte de la différence est finalement un manque ?

▶ Le personnage peut au contraire assumer sa **différence** en la sublimant, en optant pour une conduite héroïque, surhumaine : quand on ne peut être un humain ordinaire, on devient une sorte de dieu... Ainsi, le bœuf, ne voulant plus être bœuf, c'est-à-dire une repoussante bête à cornes, se laisse mourir à force d'ascèse, et peut-être, comme le suggère le narrateur (p. 39 et 42), en s'identifiant à Aldébaran, le Taureau céleste, « fusionne »-t-il avec cette constellation...

■ Comment la quête de Rani s'achève-t-elle (p. 77-78) ? Quelle forme le héros donne-t-il finalement à sa hideur ?

Quête des morts : comment accéder à la « bonne mort » ?

Dans trois contes du recueil (*L'enfant de la haute mer*, *L'Inconnue de la Seine* et *Les boiteux du ciel*), Supervielle imagine la vie des morts.

● Dans *L'enfant de la haute mer* et dans *L'Inconnue de la Seine*, les deux héroïnes sont toutes les deux des **mortes**, dont le drame est précisément de n'être **pas tout à fait mortes**, parce qu'elles gardent des liens avec le monde des vivants, sous la forme du souvenir.

Dans le cas de l'enfant, c'est la « force terrible » avec laquelle son père a pensé à elle après sa mort qui la fait exister sous une forme fantomatique (cf. p. 17-18).

■ **Dans le cas de l'Inconnue, à quoi sa « survie » sous forme de Ruisselante, c'est-à-dire de « noyée-vivante », est-elle due ? Relire les discours du personnage, p. 52, et p. 54.**

▶ Pour les deux héroïnes, ces « fragments de vie, sans la vie » sont perçus comme douloureux, voire insupportables.

■ **Dans les deux contes, comment s'exprime cette souffrance ?**

■ **Ces deux contes mettent manifestement en scène des préoccupations importantes pour Supervielle : que devient-on après la mort ? Quels sont les liens entre les morts et les vivants ? En prenant appui sur la biographie de l'auteur, comment peut-on tenter d'expliquer cette image angoissante du souvenir des morts ?**

▶ La **quête** de l'enfant et de l'Inconnue est donc de « mourir pour de bon », de trouver la « **bonne mort** », c'est-à-dire la paix, le repos éternel qu'ont cherché avant

elles bien des héros de contes et de récits fantastiques :
morts-vivants, fantômes, Hollandais volant, etc.

■ **La « bonne mort » est accordée à l'une des héroïnes, mais
refusée à l'autre. Identifier ces deux dénouements, et les
commenter.**

● Dans *Les boiteux du ciel*, la « vie » des « Ombres »,
dans leur « large espace céleste », est également perçue
comme négative, car elle est un « reflet », un simulacre,
de la vie sur la Terre. Comme l'enfant et l'Inconnue, les
Ombres souffrent et aspirent à « autre chose ».

■ **Relire les p. 63 à 65, et préciser ce qui est présenté comme
pénible, dans la « vie » des Ombres, et ce qui est l'objet de
la quête.**

L'entrée en scène de Charles Delsol et de Marguerite
Desrenaudes va permettre, à ces deux personnages, de
réaliser le désir collectif, et d'accéder à une « bonne
mort », qui est imaginée d'une façon très différente de
celle que souhaitaient les héroïnes des deux autres
contes.

■ **La définir, en prenant appui sur les trois dernières pages du
conte. Préciser en particulier quels rapports cette forme de
mort entretient avec la vie.**

Éléments

Dans la plupart des contes de Supervielle, on est frappé
par la grande place que tient la Nature. Elle ne sert pas
seulement de cadre : elle joue un rôle dans l'histoire,
influe sur les actions des personnages, et constitue donc
un thème important.

Dans l'imaginaire du recueil, la Nature est surtout présente sous la forme des **éléments fondamentaux**.

> *Les quatre* **éléments**, *ou éléments fondamentaux :* **la terre, l'air, l'eau et le feu,** *étaient considérés autrefois comme principes constitutifs de tous les corps. Au XXe siècle, on s'intéresse à la* **représentation** *de ces éléments dans l'inconscient, dans l'imaginaire, à la suite des travaux du philosophe G. Bachelard, en particulier.*

Air et terre

Dans le recueil, Supervielle joue volontiers sur l'**opposition** entre l'**air** et la **terre**.

● Souvent, l'air est connoté positivement, et la terre est connotée négativement.

C'est le cas dans *La piste et la mare* :

Terre	Air
Juan Pecho (propriétaire **terrien)** défini par la pesanteur (même son ombre est « lourde » ! p. 99)	Le Turc (voyageur) défini par la légèreté (« cet ambulant qui ne tient encore à la terre que par un coup de veine », p. 101)

associé aux moutons (p. 98)	associé aux oiseaux (p. 97)
son arme : la **pierre** au cou attachée (p. 106)	son arme : l'**air** gonflant son ventre (p. 106)

On peut donc lire ce conte comme l'histoire d'un être terrestre, pesant, qui tente de supprimer un être aérien, léger, qui lui est insupportable.

● L'opposition entre terre et air connaît une autre forme : le récit des efforts d'un être terrestre pour appartenir à l'univers aérien, céleste, qu'il admire :

■ **Étudier dans cet esprit *Le bœuf et l'âne de la crèche* à l'aide d'un tableau mettant en parallèle les deux éléments :**

Terre Le bœuf Etc.	Air Jésus, les Anges Etc.

■ **Repérer les tentatives du bœuf pour « s'intégrer » à l'air, au ciel (exemple : apprendre le « flageolet », un instrument à vent...**

● Mais Supervielle peut aussi jouer sur une image négative de l'air et une image positive de la terre...

■ **Dans quel conte? Montrer comment sont caractérisés les deux éléments tout au long de cette histoire. Comment le conflit se résout-il, dans les dernières pages?**

En étudiant les éléments, on retrouve donc encore le balancement caractéristique de Supervielle, **écrivain**

entre la terre (il est « enraciné » dans ses deux pays aux traditions agricoles : l'Uruguay et les Pyrénées, et apprécie les valeurs « terrestres », **et l'air** (il est aussi un poète rêveur, épris de spiritualité).

L'eau

L'**eau** joue un rôle important dans quatre contes, sous différentes formes : une mare (*La piste et la mare*), la Seine (*Les suites d'une course*, l'*Inconnue*), la mer (l'*Enfant*, l'*Inconnue*...).

● Lorsqu'elle est « **douce** » (mare ou rivière), l'eau se présente sous une forme réduite, familière (à l'inverse du vaste Océan). Les héros des contes cherchent à y faire disparaître un être, à effacer les traces de ce qui leur est pénible :
— pour J. Pecho, c'est le cadavre du Turc qu'il a tué ;
— pour Sir Rufus, c'est son double chevalin ;
— pour l'Inconnue, c'est elle-même (elle s'est « jetée à l'eau », p. 49).

Mais cette eau contrarie la volonté des personnages en faisant réapparaître ce qu'ils ont voulu engloutir.

■ **Sous quelle forme (dans les trois contes) ?**
Dans *Les suites d'une course* et *La piste et la mare*, l'eau prend un aspect malicieux, souligné par le dialogue entre Sir Rufus-homme et Sir Rufus-cheval (p. 88), ou par le dialogue des neveux de J. Pecho (p. 106). Mais dans *L'Inconnue de la Seine*, le narrateur donne une dimension plus angoissante au refus de la rivière de cacher le corps de la noyée :

■ **Comment procède-t-il ? (p. 45-46)**

● La **mer** est caractérisée différemment. Dans les deux contes où elle est présente, le narrateur insiste sur ses vastes dimensions :

— en profondeur : la colonie des Ruisselants est située dans les « abîmes » (p. 47); l'enfant de la « haute mer » vit « au-dessus d'un gouffre de six mille mètres » (p. 9);

— en étendue.

■ **Dans les deux contes (p. 17-18 ou p. 54 par exemple), le narrateur utilise une métaphore terrestre, géographique, pour suggérer son immensité : laquelle ?**

Elle peut donc être perçue comme un **refuge**, une cachette sûre (cf. les premières pages de l'*Inconnue*, ou les propos du Grand Mouillé, p. 52 : « "Ici, vous êtes libre, à l'abri" »). Mais, profondément ambiguë, la mer est aussi pour les deux héroïnes une **prison**.

■ **Les Ruisselants, métaphoriquement, sont présentés comme des prisonniers : grâce à quel objet symbolique ?**

■ **L'enfant de la haute mer est également assimilée à une prisonnière : dans quels passages du conte ? Grâce à quels procédés ?**

L'ambivalence de la mer (à la fois refuge et prison) se retrouve à bien d'autres niveaux. Ainsi, dans chacun des deux contes, elle est fortement valorisée par le narrateur, qui en fait un univers esthétique, féerique (avec par exemple le motif des « phosphorescences » dans l'*Inconnue*), et, en même temps, elle est chargée de connotations négatives (promiscuité des Ruisselants et des poissons, artifice de cette « vie » sous-marine...).

■ **Étudier l'ambivalence de l'Océan dans *L'enfant de la haute mer*.**

L'élément aquatique, malgré sa beauté et sa capacité à faire rêver, semble donc associé à des représentations angoissantes : peur de voir resurgir ce que l'on a voulu engloutir, peur de l'abri qui devient prison, lieu de vie et lieu de mort à la fois...

4. DIVERS

Jeu ■ Sujets de travail écrit ■ Conseils de lecture ■ Solutions du jeu.

Jeu

Dans les « portraits chinois » qui suivent, retrouvez quatre personnages du recueil.

1. Si j'étais une couleur, je serais le jaune paille.
   Si j'étais une qualité, je serais le silence.
   Si j'étais un minéral, je serais un lourd rocher.
   Si j'étais un instrument, je serais une petite flûte.

Qui suis-je ?

2. Si j'étais une expression du visage, je serais un sourire.
   Si j'étais une qualité, je serais la pudeur.
   Si j'étais un bijou, je serais une perle.
   Si j'étais un vêtement, je serais une robe.

Qui suis-je ?

3. Si j'étais un élément, je serais la terre, ou le feu.
   Si j'étais un objet, je serais une plume.
   Si j'étais un animal, je serais un serpent.
   Si j'étais un végétal, je serais un arbre.

Qui suis-je ?

4. Si j'étais un signe de ponctuation, je serais le point d'interrogation.

> Si j'étais un goût, je serais le salé.
>
> Si j'étais une couleur, je serais le gris-bleu.
>
> Si j'étais un objet, je serais un cahier, ou une vieille photographie.
>
> **Qui suis-je ?**
>
> Les réponses sont à la fin du dossier, p. 168.

Sujets de travail écrit

Imitation-invention

◆ Dans *Le bœuf et l'âne de la crèche*, Supervielle a repris un épisode célèbre des Évangiles en adoptant le point de vue du bœuf, et en lui donnant la parole.

À votre tour, racontez une histoire célèbre de l'imaginaire occidental, à travers le regard et les pensées d'un animal, par exemple la fin de l'*Odyssée* avec le point de vue du chien d'Ulysse, la bataille de Roncevaux avec le point de vue du cheval de Roland, le passage de la mer Rouge avec le point de vue d'un poisson, etc.

◆ Dans les contes du recueil, Supervielle associe ses héros à des éléments fondamentaux : eau, air, terre. Le feu étant très peu représenté, réparez cette injustice en imaginant et écrivant un conte dans lequel cet élément jouera un rôle important.

Pour « démarrer », voici des exemples de titres : *Le garçon du pays des flammes*, *La fille aux cheveux d'étincelles*, etc.

Dissertations

 ◆ Dans un entretien, en 1934, Supervielle déclarait : « J'aime par-dessus tout les états de passage. »

Comment manifeste-t-il ce goût dans le recueil *L'enfant de la haute mer* ? Quelles formes a-t-il données à ce thème du « passage » ?

◆ Un des recueils poétiques de Supervielle s'intitule *Poèmes de l'humour triste*. Ne pourrait-on pas donner comme sous-titre au recueil *L'enfant de la haute mer* : *Contes de l'humour triste* ?

◆ « C'est la technique du détail qui fait, aux photographes de cartes postales anciennes, placer à côté de la cathédrale ou de la gare un petit personnage à chapeau melon et moustaches cirées, pour nous donner l'échelle des monuments et le sentiment de la vie. Supervielle use (quelquefois abuse) de ce procédé [...] pour donner la perspective et fonder la crédibilité de ses poèmes et de ses contes. »

Vous commenterez ces propos du poète Claude Roy, en les appliquant au recueil *L'enfant de la haute mer*.

◆ « Fraternellement ami des bêtes, et fort peu vaniteux d'être homme, Supervielle ni n'exalte l'homme, ni n'abaisse les animaux, en tâchant de les unir dans une diffuse et indivise *humanimalité*. »

En quoi cette formule d'Étiemble peut-elle définir l'univers des contes du recueil mettant en scène humains et animaux ?

Conseils de lecture

Œuvres de Supervielle

◆ Un autre recueil de contes : *L'arche de Noé* (Gallimard). Vous y trouverez notamment la « suite » du *Bœuf et l'âne de la crèche* : *La fuite en Égypte*.

◆ Un roman, où s'affirme le goût de Supervielle pour l'insolite : *L'homme de la pampa* (L'imaginaire, Gallimard).

◆ Des recueils de poèmes : *Gravitations*, où vous retrouverez les grands thèmes de Supervielle (l'Amérique, l'Atlantique, le souvenir des morts, etc.), *La fable du monde*, où la fraternité avec les animaux, les végétaux, est souvent exprimée (Poésie/ Gallimard).

Essai critique

◆ Une mine de renseignements, et une lecture très agréable : *Supervielle* par Étiemble (Pour une bibliothèque idéale/ Gallimard).

Autres contes et nouvelles fantastiques du xxᵉ siècle

◆ Si vous aimez les conteurs qui, comme Supervielle, allient l'insolite et le familier, lisez *Le passe-muraille* de Marcel Aymé (Folio, n° 961), ou *Le coq de bruyère* de Michel Tournier (Folio, n° 1229).

◆ Si vous aimez les deux histoires latino-américaines du recueil, lisez les *Contes d'amour, de folie et de mort* d'Horacio Quiroga (Points-Roman).

Solutions du jeu

1. Le bœuf. 2. L'Inconnue de la Seine. 3. Rani
4. L'enfant de la haute mer.

Composition Euronumérique.
Impression Bussière Camedan Imprimeries
à Saint-Amand (Cher),
le 20 février 1997.
Dépôt légal : février 1997.
Numéro d'imprimeur : 1/501.
ISBN 2-07-039400-X./Imprimé en France.